Savoureux fromages
cuisinez les fromages d'ici et d'ailleurs

recettes
Georgeanne Brennan

photographie
Maren Caruso

Parfum d'encre

Chaque fromage a sa propre apparence, sa texture, son odeur et son goût. Il est bon de l'apprécier tel quel ou encore cuisiné, râpé, gratiné ou même incorporé dans des sauces. Les variantes sont dues au sol, au climat, aux races animales et également au «savoir faire» du maître fromager. Selon son origine il sait être à pâte molle : fromage des prairies, ou encore à pâte dure ou «semi dure» : fromage de montagnes.

Les premières recettes de fromage remontent au XVe siècle. Nous avons su les adapter aux modes de la vie moderne. On se surprend en utilisant ces recettes de constater que le fromage peut prendre une part minime de l'une ou être l'ingrédient principal d'une autre.

L'évolution des fromages est remarquable. On en fabrique plus de 3000 variétés de par le monde. Au Canada nous sommes passés d'à peine une centaine de fromage il y a vingt ans à plus de 500 fromages aujourd'hui.

Les fromagers européens sont plus conservateurs quant à leurs méthodes ancestrales. En Amérique du Nord, nous osons davantage et aimons essayer de nouveaux mariages et de nouvelles recettes. Malgré toutes celles-ci n'oubliez pas que déguster un fromage avec une bonne bouteille de vin en excellente compagnie demeure l'un des plus grands plaisirs de la vie. À savourer le plus souvent possible.

Louis Aird est le seul ambassadeur de la Guilde des Fromagers au Canada. Malgré ses trente-cinq ans de métier, il ne saurait s'en passer. Il parcourt maintenant le monde à la recherche des fromages fins à importer et à exporter.

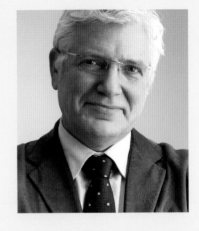

Un grand fromage, comme un grand vin, a le goût du terroir — la terre, le climat et l'endroit où il a été fabriqué. Et tout comme le vin, le fromage est évocateur et sensuel, mobilisant tous les sens pour constituer une riche expérience gustative.

GEORGEANNE BRENNAN

À propos du fromage

C'est pendant un long séjour dans le sud de la France que j'ai véritablement appris à connaître et à apprécier le fromage. Ce paysage austère porte encore les traces de l'occupation romaine et j'étais fascinée par l'histoire ancienne qui fait le lien entre la conquête et l'un des aliments français des plus appréciés.

Histoire

Ce sont les Romains qui ont introduit le fromage en France. Mais le fromage remonte encore plus loin que l'Empire romain. Ce serait au Moyen-Orient ou en Asie centrale qu'il a fait son apparition. Les bergers et les fermiers ont découvert que le fait de cailler et de fermenter le lait permettait de le conserver et fournissait un aliment riche en protéines pendant les mois d'hiver. Les Grecs anciens ont consigné par écrit les premières descriptions de la fabrication du fromage ; à l'époque romaine, la confection de fromages était devenue un art culinaire.

Après la chute de Rome, les Européens ont continué de raffiner les techniques de production. Au Moyen-Âge, le fromage était fabriqué sur des fermes familiales et dans des monastères. Les moines ont acquis une réputation pour leurs innovations en matière de création et de conservation de fromages, qu'ils intégraient systématiquement à leur alimentation sans viande des longs mois de jeûne. Dans de nombreux pays européens, on utilisait des caves pour vieillir le fromage et, aujourd'hui encore, ces lieux naturels sont toujours essentiels à la production de certains fromages, dont le célèbre roquefort.

Des siècles plus tard, l'urbanisation a entraîné la fabrication industrielle et relégué la production artisanale au second plan. C'est lors de la révolution industrielle qu'ouvrirent les premières fabriques de fromage. Les deux guerres mondiales ont ensuite ouvert la voie à une ère de production à grande échelle, surpassant la fabrication artisanale. C'est aux États-Unis, siège d'une vaste industrie bovine, que ce phénomène a atteint son apogée.

La fabrication artisanale du fromage

De nos jours, le mode de fabrication artisanale est en constante progression, permettant de boucler la boucle et d'effectuer un retour à la ferme et à la cave. Maintenant, vous trouverez des spécialités régionales au rayon des produits laitiers aux côtés des fromages fabriqués en usine. Certains sont des produits du terroir, à la manière de la production vinicole avec ses appellations contrôlées. Les connaisseurs se délectent de la saveur et de la texture unique de chacune des centaines de variétés maintenant disponibles. Le fromage demeure donc un aliment de base dans la cuisine familiale, à la fois comme ingrédient dans d'innombrables plats et comme mets en soi.

Les variétés de fromage

La plupart des fromages sont fabriqués de la même façon : le lait est chauffé pour en faire un milieu de culture et laisser libre cours à la fermentation. La présure permet de faire cailler le lait. Les solides sont moulés, puis affinés. On peut classer les fromages par type de lait mais pour des fins de cuisson, il est plus utile de les catégoriser par temps d'affinage et par texture.

Les fromages frais

Les fromages frais ne sont pas affinés. Ils sont généralement fabriqués à partir de lait fermenté brièvement, puis séparés en caillé et en petit-lait. On égoutte le caillé, puis on le presse pour lui donner une forme ; parfois, il est tout simplement enveloppé. Ces fromages ne se conservent pas longtemps et doivent être consommés dès qu'ils sont produits. C'est l'affinage qui donne du goût, ce qui explique pourquoi les fromages frais sont parmi les plus doux. Ils se rapprochent le plus par leur nature et leur saveur au lait utilisé pour les fabriquer. Par exemple, le lait de chèvre donne un goût acidulé alors que le lait de vache est doux. La texture est généralement lisse et facile à tartiner, à l'exception de la ricotta, qui n'est pas égouttée, et de la mozzarella fraîche, qui est un fromage étiré.

Quelques exemples : Capriny nature, fines herbes ou poivre, chèvre, féta, mozzarella fraîche, mascarpone et ricotta.

La croûte naturelle

Si on laisse reposer et sécher les fromages frais dans une cave, ils attirent les moisissures et levures naturelles présentes dans l'air et une croûte douce, souvent farineuse, se forme. Pendant cette période de repos et d'affinage – à peine quelques semaines suffisent – le fromage s'épaissit à la surface, sèche et se raffermit pour bien souvent développer un goût de noisette, ainsi qu'un arôme et un goût plus âcre. C'est le traitement que l'on réserve surtout au chèvre, dont le célèbre crottin de Chavignol.

Quelques exemples : Cendrillon affiné, Paillot.

Les fromages à pâte molle

Les fromages à pâte molle se distinguent par leur croûte et leur affinage. Après le caillage du lait, ces fromages sont placés dans des moules pour les façonner, puis transférés sur des paillassons où ils sont exposés à des bactéries spécifiques (dont le penicillium) qui entraînent la formation d'une croûte « fleurie » douce, poudreuse et blanche. Ces fromages s'affinent à partir de la croûte vers l'intérieur et se ramollissent jusqu'à ce que leur centre devienne crémeux et onctueux. Grâce à leur enrobage de moisissures, ils demeurent moelleux à l'intérieur. Lorsqu'on ajoute de la crème au lait d'un fromage à pâte molle, il devient un « double crème » ou « triple crème », réputé

Du coin inférieur dans le sens horaire : Cana de Cabra, Pyramide, Rosso di Langa, Brebirousse d'Argental, Muenster, Brunet, crottin et Pecorino.

Introduction   11

pour son centre riche et crémeux. Ces fromages savoureux et onctueux sont délicieux sans accompagnements. Servis à la température de la pièce, ils sont faciles à tartiner voire coulants dans certains cas.

Quelques exemples : brie Alexis de Portneuf, St-Honoré, Camembert des Camarades, Chaource, Triple Crème Du Village, Double Crème Du Village, Le Bonaparte.

Les fromages à pâte semi-molle

Cette catégorie regroupe une grande variété de fromages. La catégorisation des pâtes semi-molles n'est pas une science exacte. On se fie plutôt à un jugement intuitif. La mollesse réfère à la teneur en eau ou en petit-lait d'un fromage et par conséquent au moelleux (une qualité qui n'est pas nécessairement un indicateur d'une teneur plus élevée en gras, contrairement aux croyances de certains). Un fromage avec une teneur plus élevée en petit-lait est plus moelleux ; celui qui en contient moins est plus ferme. Les fromages à pâte semi-molle se conservent quelques jours de plus que les fromages frais. En général, plus le fromage est mou, moins il se conserve longtemps.

Quelques exemples : Sir Laurier, Cendre de Lune, Raclette, St-Paulin, Vacherin, Cantonnier, Bleubry et le Maître Jules peuvent être classés parmi les pâtes semi-molles mais relèvent également d'autres catégories, en l'occurrence le fromage à pâte molle, le bleu et le fromage à croûte lavée, respectivement.

Les fromages à croûte lavée

Les fromages à croûte lavée recoupent la catégorie des pâtes semi-molles mais se distinguent par leur affinage particulier et leur croûte, à l'exemple des fromages à pâte molle. Les moines médiévaux ont été les premiers à élaborer la technique de lavage ou de rinçage à l'eau, à la saumure, au vin, à la bière ou à l'eau-de-vie des fromages affinés ; une pratique qui encourage la prolifération des bactéries. Le lavage produit une croûte orange ou brun roux. Comme les fromages à pâte molle, les fromages à croûte lavée s'affinent de la croûte vers l'intérieur et la texture du centre varie de presque liquide à plus consistante. Ces fromages sont réputés pour leur odeur puissante qu'on peut parfois qualifier de «moisie», «faisandée» ou «d'étable». Toutefois, leur saveur riche et délicieuse est souvent plus veloutée que leur odeur.

Quelques exemples : Sauvagine, Sir Laurier, Maître Jules

Les fromages à pâte semi-ferme

La catégorie des semi-fermes est fondée sur la texture. Un affinage plus long et une teneur en eau moins élevée sont les critères qui séparent ces fromages de leurs cousins à pâte semi-molle mais, encore une fois, celle-ci n'est pas nettement définie.

Le pressage est une technique importante pour raffermir les fromages, permettant d'extraire davantage de petit-lait et créer un centre dense et homogène. Le caillé des pâtes semi-fermes est généralement non cuit mais peut être lavé ou coupé avant le pressage. Le fait de laver ou de rincer le caillé donnera un goût plus velouté et un caillé coupé produit une texture lisse ou parfois caoutchouteuse ; une tranche de St-Paulin, par exemple, va plier au lieu de se rompre ou s'émietter. Bon nombre de fromages semi-fermes se conservent trois ou quatre semaines après ouverture, et même deux semaines après les avoir tranchés.

Quelques exemples : Mont-Gleason, Cheddar 3 ans, Fruilano, St-Paulin, Kingsberg, Fontina, Gouda, gruyère, Comté, Manchego jeune, Monterey Jack, mozzarella à faible teneur en eau, provolone, Cacciocavallo

Les fromages durs

Les fromages à texture dure sont fabriqués en «cuisant» ou en chauffant le caillé pour le solidifier; celui-ci est ensuite pressé et affiné sur une longue période de temps. Alors que les fromages frais et à pâte molle passent de la fromagerie à la table en quelques jours ou semaines, les fromages durs sont affinés pendant des mois et parfois plus d'un an. Cet affinage prolongé sèche et durcit la texture et donne un goût plus prononcé. Il permet également d'assurer une durée de vie plus longue comparée aux autres fromages.

Quelques exemples : Asiago, Grana Padano, Bella Lodi, Manchego vieilli, Parmigiano-Reggiano, cheddar et divers types de Crotonese et de romano.

Les fromages bleus

Bien que les fromages bleus se classent diversement parmi les fromages à pâte semi-molle, molle et semi-ferme, on doit les considérer dans une catégorie à part en raison d'un trait caractéristique qui les distingue : un persillage de moisissures ou de veines bleues qui en parcourent le centre. Ces veines donnent à ces fromages leur goût fort, leur texture friable et leur allure saisissante.

Les fromages bleus sont produits en ajoutant des bactéries spécifiques au caillé, que l'on presse ou perfore lâchement par la suite. Cette dernière méthode crée des poches d'air où les moisissures peuvent croître, permettant d'affiner le fromage de l'intérieur. Le goût caractéristique du fromage bleu s'intensifie pendant l'affinage. Certains diront que le bleu âcre, salé et parfois puant est un goût qu'il faut apprivoiser. Les adeptes quant à eux auront du mal à s'en passer.

Quelques exemples : bleu d'Auvergne, Roche Noire, bleu Stella, Fourme d'Ambert, Gorgonzola dolce et naturale, roquefort, Stilton

À propos du lait

Les fromages doux au lait de vache sont les plus populaires, en raison de la grande quantité de lait de bonne qualité produit par la vache. Mais les fromages à base de lait de chèvre ou de brebis ou un mélange de laits méritent d'être découverts. Le lait de chèvre contient un acide supplémentaire qui confère au fromage qu'on en tire un goût acidulé typique. Le lait de brebis a une teneur en matière grasse plus élevée que le lait de chèvre, ce qui donne un fromage très savoureux avec un goût de noisette caractéristique.

La pasteurisation est un autre facteur dans la définition d'un fromage. Quiconque a goûté un brie ou un camembert français au lait cru déplorera la fadeur des versions américaines. Le Département d'agriculture des États-Unis (USDA) exige un affinage de soixante jours pour les fromages au lait cru, ce qui est trop long pour les fromages frais et à pâte molle ; tous les fromages de ces catégories vendus aux États-Unis sont faits de lait pasteurisé. Le compromis en faveur de la santé publique se fait au détriment de la complexité des saveurs.

Du coin inférieur dans le sens horaire : Point Reyes Original Blue, Gorgonzola dolce, Stilton, bleu d'Auvergne, Shropshire Blue

La présentation du fromage

Le fromage a toujours sa place, en amuse-gueule, en fin de repas, ou dégusté seul entre amis. Servez-le tel quel ou avec des accompagnements — tartinades et chutney, confitures ou tapenades ; sucreries tels nids d'abeille ou fruits frais, séchés ou confits ; aliments salés telles olives ou noix — et une baguette croustillante.

Les plateaux de fromages

Vous pouvez servir un fromage en particulier et mettre en valeur ses qualités propres. Mais, en général, un assortiment de trois fromages offre une diversité sans surcharger l'assiette. Il y a diverses façons de varier les choix : par âge ou type de fromage (une croûte fleurie, une pâte semi-ferme, un bleu) ; par type de lait (un lait de vache, un lait de chèvre, un lait de brebis) ; par pays d'origine (un français, un espagnol, un canadien) ; ou même par région. En somme, vous voulez varier les saveurs et les textures ; de crémeux, à friable et salé, ainsi que les couleurs et les formes. Choisissez des accompagnements selon le fromage, la saison et l'occasion en fonction des saveurs et des textures.

Le service

Disposez les fromages pour les rendre faciles à couper. Entamez le fromage pour servir de guide et assurer que toutes les tranches ont un morceau de croûte. Servez toujours le fromage à température de la pièce. Cela peut prendre quelques heures.

Ustensiles et plats

Un grand plateau, une plaque de marbre ou une planche à découper peuvent accueillir trois ou quatre fromages. Laissez suffisamment d'espace pour découper. Comptez un couteau par fromage pour ne pas mélanger les saveurs. Les couteaux arrondis sont idéals pour tartiner les fromages crémeux alors que les couteaux aiguisés sont indiqués pour les fromages vieillis plus durs. Le couteau à fromage avec des dents permet de transférer aisément les tranches dans l'assiette.

L'achat et la conservation

Les fromages sont meilleurs fraîchement coupés ; évitez les morceaux préemballés si possible. La conservation du fromage est toujours une question d'équilibre : le fromage doit «respirer» et dégager son humidité mais il doit aussi rester moelleux et ne pas sécher. Lorsque c'est possible, achetez vos fromages le jour même et conservez les pointes à une température ambiante fraîche ou sous une cloche. Pour la réfrigération, la pellicule plastique est la solution la plus fréquente mais elle n'est pas idéale. Le fromage ne séchera pas mais ne respirera pas non plus. Utilisez du papier ciré pour emballer les fromages frais et à pâte molle ; ces derniers ont davantage besoin de respirer pour mûrir convenablement.

Les accords vins et fromages

Un heureux accord vins et fromages est un délice pour le palais.
Expérimentez différentes combinaisons pour découvrir ce qui vous
convient le mieux. Il n'y a pas de règles bien définies.

Les caractéristiques du vin

Tout comme le fromage avec ses variations de
texture, d'arôme, de couleur et de saveur, les vins
ont des personnalités très différentes. Voici les
principales qualités dont il faut tenir compte pour
réussir les accords.

La saveur On peut choisir des saveurs
de fromage et de vin qui se rapprochent ou
qui s'opposent et se contrebalancent d'agréables
façons. Un Sauvignon blanc au parfum d'agrumes
répond bien au goût acidulé d'un chèvre frais, mais
on peut aussi apparier un vin de dessert sucré avec
un bleu salé. Les saveurs à privilégier pour choisir
un vin sont l'acidité ou l'âpreté (qui vient des
raisins), l'amertume (des pelures de raisin et des
fûts en bois utilisés pour le vieillissement), le sucré
(des sucres résiduels après fermentation) et les
épices (le goût de poivre de certains vins comme
le Syrah).

La texture Tenez compte de la qualité lisse,
crémeuse, friable, ferme ou dure et sèche du
fromage avant de choisir un mariage. Cela vous
permet de trouver un vin avec des qualités
compatibles : vif, sec, souple, velouté ou corsé.

L'âge Accordez les vins légers avec les fromages
légers et pareillement avec les corsés. En général,
cela signifie que les vins plus jeunes et plus légers
conviendront mieux aux fromages jeunes plus doux.

Les vins blancs En raison de leur acidité élevée,
les vins blancs vont bien avec la plupart des
fromages. Un vin souple créera des accords
agréables, mais presque toutes les variétés de
blanc, du sec au fruité et doux, trouveront leur
complément. Les Chardonnays élevés longuement
en fûts de chêne sont l'exception ; leur goût
souvent amer ne convient pas bien à la nourriture.

Les vins rouges Le bon vin rouge est délicieux
s'il est accordé avec le bon fromage mais ce choix
s'avère plutôt compliqué selon les préférences
individuelles. Évitez les rouges tanniques qui
peuvent avoir un goût amer voire métallique
lorsqu'accompagné d'un fromage. Les rouges
légers et fruités sont les plus faciles à accorder.
Cela dit, un Cabernet charnu ou même un porto
rubis sont exquis avec un bleu vieilli.

Les vins pétillants Les bulles des vins pétillants
nettoient le palais empâté par le fromage et le
rafraîchissent après chaque bouchée. L'accord
fromage crémeux comme le brie triple crème
et le vin pétillant est particulièrement heureux
mais les fromages salés et bleus conviennent
également aux bulles.

Des accords classiques

Dans le meilleur des accords, chaque ingrédient rehausse et équilibre les saveurs de l'autre, par contraste ou par un rappel subtil. Certains accords sont si réussis qu'ils sont devenus des classiques.

Le chèvre et le Sancerre Ces deux spécialités de la vallée de la Loire dans le centre de la France sont faites l'une pour l'autre. Les saveurs acides du chèvre frais ont tendance à rendre les vins blancs fades par comparaison. Or le vif Sauvignon blanc utilisé dans le Sancerre a une acidité qui peut se mesurer à celle du fromage, et son goût « herbacé » met en valeur le goût de terroir du fromage.

Les double ou triple crème et le champagne
Les fromages extrêmement riches comme La Tentation empâtent la langue. Les bulles et le subtil goût fruité d'un vin pétillant permettent de rafraîchir le palais en tranchant sur la crème tout en mettant en valeur sa texture onctueuse.

FROMAGES		ACCORDS DE VIN
frais ou peu vieillis	Asiago jeune, Capriny, Saint-Paulin, Sauvagine, féta, Caprano jeune	**vins blancs légers, fruités et acides** Sauvignon blanc/ Sancerre, Pinot Grigio, Riesling sec, Grüner Veltliner, Chenin blanc/Vouvray, Albariño ; vins rosés secs
mi vieillis et fermes	Cacciocavallo, Asiago vieilli, Vacherin, cheddar, Cantonnier, Manchego, Crotonese	**vins rouges charnus** Cabernet Sauvignon/Bordeaux, Merlot, Chianti, Barbaresco, Barbera, Barolo, Rhône, Languedoc, Ribera del Duero, Rioja, Sangiovese, Syrah/Shiraz, Zinfandel
	Cheddar 5 ans	**porto** millésimé, tawny
vieillis et durs	Parmigiano-Reggiano	**vins pétillants** champagne, prosecco, cava
	Parmigiano-Reggiano, Bella Lodi, Manchego vieilli	**xérès secs** fino, Manzanilla
vieillis au goût sucré ou de noisette	gruyère, Comté, raclette, Gouda, emmental, Kingsberg, Mont-Gleason	**vins blancs riches, généreux et parfumés** Chardonnay/ Bourgogne blanc, Gewürztraminer, Grüner Veltliner, Riesling tardif, Viognier, Chenin Blanc/ Vouvray
	gruyère, Comté, raclette, Gouda, Cantonnier	**vins rouges légers à assez charnus** Beaujolais, Dolcetto d'Alba, Grenache, Nero d'Avola, Pinot noir/Bourgogne rouge
	gruyère, Comté, Gorgonzola, Bleubry, Roche Noire, Stilton	**vins de dessert au goût de noisette et de caramel** madère, vin santo, xérès mi-secs mi-sucrés (Amontillado et Oloroso)
à croûte fleurie	brie, camembert, Alexis de Portneuf	**vins pétillants** champagne, prosecco, cava, **vins rouges légers à un peu charnus** Beaujolais, Dolcetto d'Alba, Grenache, Nero d'Avola, Pinot noir/Bourgogne rouge

Le Parmigiano-Reggiano et le Sangiovese
Encore une fois, le fait d'accorder un vin et un fromage de la même région peut améliorer le mariage. Les fromages durs vieillis, un peu piquants, ont tendance à bien s'accorder aux vins rouges et le Chianti et le Brunello, du cépage Sangiovese, proviennent de la même région que le Parmigiano-Reggiano de première qualité. Ces vins riches et charnus maîtrisent l'âcreté du fromage pendant que l'agréable goût salé du fromage fait ressortir les notes de fruits murs du vin.

Le Stilton et le porto Cette combinaison célèbre et sublime est due à l'origine aux caprices de l'histoire maritime anglaise. Le Stilton anglais, un bleu crémeux aux saveurs salées, charnues et fumées et au goût de noisette trouve son complément dans le porto millésimé, d'origine portugaise, avec ses saveurs tout aussi onctueuses, douces et mûres et son corps charnu à haut indice d'octane. La douceur du vin complète le goût salé du fromage et cet heureux accord rend chaque bouchée ou gorgée d'autant plus captivante.

FROMAGES		ACCORDS DE VIN
double et triple crème	Saint-Honoré, Cendré de Lune, Triple Crème Du Village, Double Crème Du Village	**vins blancs riches, généreux et parfumés** Chardonnay/Bourgogne blanc, Gewürztraminer, Grüner Veltliner, Riesling tardif, Viognier, Chenin Blanc/Vouvray
à croûte lavée	Cendré	**vins pétillants** champagne, prosecco, cava
	Cendré, Sauvagine, Fontina, Sir Laurier, Taleggio	**vins blancs riches, généreux et parfumés** Chardonnay/Bourgogne blanc, Gewürztraminer, Grüner Veltliner, Riesling tardif, Viognier, Chenin Blanc/Vouvray
	Fontina, Saint-Raymond, Vacherin	**vins rouges légers à assez charnus** Beaujolais, Dolcetto d'Alba, Grenache, Nero d'Avola, Pinot noir/Bourgogne rouge
	Caprano vieilli	**vins rouges charnus** Cabernet Sauvignon/Bordeaux, Merlot, Chianti, Barbaresco, Barbera, Barolo, Rhône, Languedoc, Ribera del Duero, Rioja, Sangiovese, Syrah/Shiraz, Zinfandel
bleus	bleu d'Auvergne, Bleubry, Fourme d'Ambert, roquefort	**vins de dessert** Sauternes, Sauvignon blanc tardif
bleus doux à moyennement intenses	Bleubry, Fourme d'Ambert, Gorgonzola dolce	**vins pétillants** champagne, prosecco, cava
bleus au goût de beurre	Stilton, Roche Noire	**xérès mi-secs mi-sucrés** Amontillado, Oloroso
bleus puissants	Gorgonzola naturale, Stilton, Roche noire	**vins de dessert** madère, vin santo, xérès mi-secs mi-sucrés (Amontillado, Oloroso), porto millésimé ou tawny, Sauternes

Les accords bières et fromages

Certains prétendent que la bière et le fromage sont plus proches parents que le vin et le fromage. Anciennement, il arrivait souvent que bière et fromage soient fabriqués à la même ferme. De nos jours, il existe des combinaisons classiques de bières et de fromages produits localement dans les régions réputées pour leurs brasseries.

Les caractéristiques de la bière

L'accord de la bière et du fromage est plus facile à réussir parce que leurs saveurs ont déjà tendance à se compléter. Ceci est particulièrement vrai dans le cas des bières maltées telles que l'ale, le porter et le stout qui renferment les saveurs de caramel et de noisette présentes dans les fromages vieillis. Et les fromages à croûte lavée aux saveurs puissantes, généralement difficiles à accorder à un vin sans dominer celui-ci, trouvent leur mesure dans la bière – provenant souvent de la même région.

Le goût malté avec le goût de noisette Les bières maltées et veloutées ont tendance à avoir une dominante sucrée qui convient bien aux fromages avec des notes de noisette et de caramel. Par exemple, une bière maltée ambre ou brune avec un gruyère, un Mont-Gleason ou un Asiago.

Les goûts légers ensemble Les lagers délicates et sèches, en particulier les pils, conviennent aux fromages doux plus jeunes. Mais l'inverse n'est pas toujours vrai. L'accord d'une bière intense et d'un fromage puissant peut se terminer en un désagréable combat des Titans.

Le goût amer avec le goût intense Les bières très houblonnées et amères exigent des fromages piquants. Accordez une India Pale Ale simple ou double avec un cheddar ou Cantonnier. Le fort goût de houblon et la haute teneur en alcool de la bière sont idéals pour un fromage acidulé.

La saturation Toutes les bières sont saturées de bulles ; elles nettoient donc le palais, comme le champagne et d'autres vins pétillants. La gorgée de bière, après un morceau de fromage qui empâte la bouche, vous rafraîchit pour la prochaine bouchée. Ceci est particulièrement vrai dans le cas des fromages crémeux assortis aux bières très saturées : essayez un chèvre onctueux avec un Hefeweizen vif et léger.

Autres saveurs de bière Les porters et les stouts ont un goût robuste avec des notes de cacao et de café expresso. Ils conviennent à bon nombre de fromages âcres à croûte fleurie lavée. Même les fromages bleus au goût puissant qui défient tout accord avec un vin trouveront leur mesure ici : une bière foncée bien choisie fait un heureux mariage avec un Stilton.

Hors-d'œuvre, amuse-gueules

Le service du fromage fait partie de mon repas

quotidien, que je sois chez moi à Winters en

Californie, auquel cas il précède le plat principal,

ou sur ma ferme en Provence où je le prends à la fin

du repas. Parfois, je me contente d'une pointe de bleu bien

âcre arrosé de miel ou d'un rond de chèvre servi avec

des noix et des abricots locaux. Quand mon gendre français

nous accompagne, je le gâte avec un plateau de fromages

accompagnés de dattes tièdes, de compote de petits fruits

ou d'olives aux agrumes.

Plateaux de fromages du printemps

Au printemps, les fromages sont particulièrement doux en raison des herbes tendres avec lesquelles on nourrit les bêtes. Faites un assemblage de trois fromages tirés de laits différents ou servez deux fromages crémeux à pâte molle accompagnés de cerises pour fêter la saison. Un rosé sec de style Bandol viendra compléter les saveurs.

Trio de fromages aux abricots et aux amandes

6-8 oz (185-250 g) chacun

de fromage de chèvre frais

de fromage de brebis tel que Etorki

de fromage au lait de vache semi-ferme tel que Cantonnier

2 abricots ou pêches, tranchés finement

½ tasse (3 oz/90 g) d'amandes

Sortir les fromages du réfrigérateur environ 2 h avant de servir, les déballer et les amener à température de la pièce.

Au moment de servir, disposer les fromages, les tranches d'abricot et les amandes sur une planche à découper, une planche de marbre ou un plateau. Ajouter un couteau à tartiner pour le fromage mou et des couteaux d'office pour chacun des autres fromages. Servir avec du pain baguette tranché, des tranches minces de pain foncé ou des craquelins, si désiré.

Fromages triple crème aux cerises

2 fromages triple crème, 6-8 oz (185-250 g) chacun, tels que St-Honoré ou Triple Crème Du Village

6-8 oz (185-250 g) de fromage au lait de vache à croûte fleurie tel que brie ou Alexis de Portneuf

½ lb (8 oz/250 g) de cerises

Sortir les fromages du réfrigérateur environ 2 h avant de servir, les déballer et les amener à température de la pièce.

Au moment de servir, disposer les fromages et les cerises sur une planche à découper, une planche de marbre ou un plateau. Ajouter un couteau à fromage ou couteau d'office pour chaque fromage. Servir avec du pain baguette tranché, des tranches minces de pain foncé ou des craquelins, si désiré.

Plateaux de fromages d'été

Un assortiment de fromages savoureux, une grosse salade verte et un vin blanc vif font un repas d'été léger et facile. J'aime assortir un fromage parfumé, la Sauvagine par exemple, avec un fromage dur au goût de noisette. Pour une touche provençale, arrosez un fromage de chèvre d'une huile d'olive fruitée et garnissez-le de fines herbes fraîches.

Fromages savoureux aux fruits de la saison

6-8 oz (185-250 g) de fromage de brebis dur tel que Crotonese

6-8 oz (185-250 g) de fromage à croûte lavée tels que Sir Laurier ou Maître Jules

3-4 oz (90-125 g) de fromage de chèvre frais

3-4 oz (90-125 g) de fromage bleu tel que Roche Noire

2 pêches, pommes ou abricots, tranchés finement

½ tasse (2 oz/60 g) de noix de Grenoble ou amandes marcona

huile d'olive extra-vierge et brins de romarin frais

Sortir les fromages du réfrigérateur environ 2 h avant de servir, les déballer et les amener à température de la pièce.

Au moment de servir, disposer les fromages, les fruits et les noix sur une planche à découper, une planche de marbre ou un plateau. Mettre le chèvre dans une petite assiette, arroser d'huile d'olive et garnir de romarin. Ajouter un couteau à tartiner pour le fromage à pâte molle, des couteaux d'office pour le fromage à croûte lavée et le bleu et un couteau aiguisé ou coupe fromage pour le fromage dur. Servir avec du pain baguette tranché, des tranches minces de pain foncé ou des craquelins, si désiré.

Fromages frais aux nectarines, au miel et aux pistaches

6-8 oz (185-250 g) de Capriny frais

6-8 oz (185-250 g) de Mozzarina fraîche

6-8 oz (185-250 g) de fromage au lait de vache à pâte molle tel que Cendré De Lune

2 nectarines, tranchées finement

½ tasse (2 oz/60 g) de pistaches

miel

Sortir les fromages du réfrigérateur environ 2 h avant de servir, les déballer et les amener à température de la pièce.

Au moment de servir, disposer les fromages, les tranches de nectarine et les pistaches sur une planche à découper, une planche de marbre ou un plateau. Mettre le miel dans une petite assiette. Ajouter un couteau à tartiner ou couteau d'office pour chaque fromage à pâte molle. Servir avec du pain baguette tranché, des tranches minces de pain foncé ou des craquelins, si désiré.

Plateaux de fromages d'automne et d'hiver

Pendant les mois plus froids, j'aime servir des fromages plus riches et plus affinés. Les fruits saisonniers comme les figues, les grenades, les raisins, les poires et les kakis ajoutent un goût juteux et agréable à tout plateau de fromages. Servez un Côtes-du-Rhône, Rioja, Chianti ou autre vin rouge assez charnu pour l'un ou l'autre plateau.

Fromages vieillis aux grenades, aux figues et aux pacanes

6-8 oz (185-250 g) chacun

fromage de chèvre vieilli tel que Caprano vieilli

fromage au lait de vache à croûte lavée tels que Cantonnier ou Vacherin

fromage triple crème tels que Triple Crème Du Village ou St-Honoré

1 grenade, décortiquée en morceaux

4 figues fraîches

½ tasse (2 oz/60 g) de pacanes ou noisettes, grillées

Sortir les fromages du réfrigérateur environ 2 h avant de servir, les déballer et les amener à température de la pièce.

Au moment de servir, disposer les fromages, la grenade, les figues et les pacanes sur une planche à découper, une planche de marbre ou un plateau. Ajouter un couteau à tartiner pour chaque fromage à pâte molle et un couteau aiguisé ou coupe fromage pour le fromage dur. Servir avec du pain baguette tranché, des tranches minces de pain foncé ou des craquelins, si désiré.

Fromages à pate molle aux kakis et aux dattes

2 fromages à pâte molle, de 6-8 oz (185-250 g) chacun, tels que Bonaparte, Paillot ou Cendrillon

6-8 oz (185-250 g) de fromage triple crème tels que St-Honoré ou Sauvagine

2 kakis, tranchés très finement

½ tasse (3 oz/90 g) de dattes

½ tasse (2 ½ oz/75 g) de noix de cajou

Sortir les fromages du réfrigérateur environ 2 h avant de servir, les déballer et les amener à température de la pièce.

Au moment de servir, disposer les fromages, les tranches de kaki, les dattes et les noix de cajou sur une planche à découper, une planche de marbre ou un plateau. Ajouter un couteau d'office ou couteau à fromage pour chaque fromage. Servir avec du pain baguette tranché, des tranches minces de pain foncé ou des craquelins, si désiré.

Plateaux de fromages pour la bière

Les accords de bières et de fromages font parfois des mariages intenses et acidulés. Un fromage au lait de vache âcre à croûte lavée tels que Tomme des Cantons, le Cantonnier ou le Vacherin est un très bon choix tout comme le sont les bleus légers ou tout type de cheddar. Les noix, les cornichons et les fruits séchés rehaussent la saveur du houblon dans la bière.

Roche Noire aux noix et aux fruits séchés

6-8 oz (185-250 g) de Gouda tels que St-Paulin Du Village vieilli ou Cheddar 3 ans Caron ou Sir Laurier

6-8 oz (185-250 g) de fromage de chèvre vieilli tel que Caprano vieilli

6-8 oz (185-250 g) de fromage persillé bleu léger tel que Bleubry

1 tasse (6 oz/185 g) de dattes

fruits séchés tels que kakis, abricots et poires

½ tasse (2 oz/60 g) de noix de Grenoble

Sortir les fromages du réfrigérateur environ 2 h avant de servir, les déballer et les amener à température de la pièce.

Au moment de servir, disposer les fromages, les dattes, les fruits séchés et les noix sur une planche à découper, une planche de marbre ou un plateau. Ajouter des couteaux d'office pour le Bleubry et le Caprano vieilli et un couteau aiguisé ou coupe fromage pour le St-Paulin. Servir avec du pain baguette tranché, des tranches minces de pain foncé ou des craquelins, si désiré.

Cheddar 5 ans Caron aux poires et au chutney

6-8 oz (185-250 g) de Cheddar 5 ans Caron

6-8 oz (185-250 g) de fromage au lait de vache dur tels que Caciocavallo ou Asiago

6-8 oz (185-250 g) de fromage de brebis dur tel que Caprano

2 poires, tranchées finement

¼ tasse (2 ½ oz/75 g) de chutney aux abricots

Sortir les fromages du réfrigérateur environ 2 h avant de servir, les déballer et les amener à température de la pièce.

Au moment de servir, disposer les fromages, les poires et le chutney sur une planche à découper, une planche de marbre ou un plateau. Ajouter un couteau d'office ou un coupe fromage pour les fromages. Servir avec du pain baguette tranché, des tranches minces de pain foncé ou des craquelins, si désiré.

Chutney aux canneberges et aux poires

3 TASSES
(30 OZ/940 G)

Le chutney aux fruits aromatisé aux épices convient à presque tous les fromages, jeunes ou affinés. Les fromages au lait de vache et les fromages de brebis vieillis sont de bons choix mais ce chutney acidulé est également savoureux en garniture d'une ricotta Saputo ou d'un Capriny nature.

1 tasse (6 oz/185 g) d'oignon blanc émincé

1 tasse (8 oz liq./250 ml) de cidre

¾ tasse (6 oz liq./180 ml) de jus d'orange frais

2 c. à soupe de vinaigre de cidre

4 baies de genièvre

1 c. à soupe de zeste de citron grossièrement râpée

1 c. à soupe de zeste d'orange grossièrement râpée

1 bâton de cannelle de 1 ½ po (4 cm)

6 clous de girofle

1 ¼ tasse (9 oz/280 g) de cassonade pâle bien tassée

1 sac (12 oz/375 g) de canneberges fraîches (environ 3 tasses)

2 poires bosc ou autre poire ferme mais mûre, pelées, coupées en deux, évidées et coupées en cubes de 1 po (2,5 cm)

Dans une casserole non réactive (acier inoxydable ou verre), mélanger les 9 premiers ingrédients. Porter à ébullition, réduire le feu à moyen et cuire à découvert 10-15 min, en remuant à l'occasion, jusqu'à ce que le mélange soit réduit à 1 ½ tasse (12 oz liq./375 ml).

Incorporer la cassonade et remuer environ 2 min pour la dissoudre. Ajouter les canneberges et les poires et porter de nouveau à ébullition. Réduire le feu à doux et laisser mijoter à découvert 20-30 min, en remuant à l'occasion, jusqu'à ce que les saveurs soient mariées. Les fruits doivent être très mous.

Verser le chutney dans un bol et le remuer avec une fourchette, en écrasant une partie des fruits. Laisser refroidir complètement avant de servir. Le chutney peut être recouvert de façon hermétique et conservé au réfrigérateur jusqu'à 1 semaine. Amener à température de la pièce avant de servir.

Servir avec du fromage
Bella Lodi, Caprano vieilli, Sir Laurier, Capriny, camembert des Camarades

Servir avec du vin
Un rouge assez charnu tels que le Barbera ou le Côtes-du-Rhône

Olives marinées tièdes

Une marinade maison ajoute des saveurs personnalisées aux olives et les rendent plus appétissantes. Servez-les telles quelles ou réchauffez-les pour dégager un bouquet d'arômes enivrants. Pour le fromage, cherchez du côté méditerranéen : des fromages au lait de vache ou de brebis d'Espagne, de France et de Grèce vont bien avec les olives.

1 tasse (5 oz/155 g) d'olives assorties telles que Picholines, Niçoises ou Kalamata

½ tasse (4 oz liq./125 ml) d'huile d'olive extra-vierge

½ de graines de fenouil, écrasées grossièrement

1 lanière de pelure d'orange d'environ 2 po (5 cm)

1 c. à soupe de jus de citron frais

Rincer les olives à fond et les éponger. Dans une poêle à feu moyen, chauffer l'huile d'olive. Lorsque l'huile est chaude, incorporer les olives, les graines de fenouil et la pelure d'orange et chauffer environ 2 min jusqu'à ce que les olives soient bien chaudes. Retirer du feu, transférer dans un bol et laisser refroidir complètement.

Ajouter le jus de citron et bien mélanger. Recouvrir et laisser reposer au moins 8 h ou jusqu'à 24 h à température de la pièce, en remuant de temps en temps pour distribuer les aromates. (À ce stade, les olives peuvent être réfrigérées jusqu'à 2 semaines avant de servir.)

Pour servir, préchauffer le four à 350 °F (180 °C). Mettre les olives avec leur marinade dans un plat de cuisson et cuire au four environ 10 min jusqu'à ce qu'elles soient chaudes. Utiliser une cuillère à égoutter pour les retirer de la marinade et les transférer dans une assiette de service. Servir chaudes, avec un bol pour les noyaux.

Servir avec du fromage
Currado, Cheddar 5 ans, Etorki ou fetos

Servir avec du vin
Un vin blanc vif tel qu'un Albariño ou un rouge velouté tel que Malbec

Cœurs d'artichauts aux zestes d'agrumes

Comme j'ai la chance d'avoir des plants d'artichauts dans mon jardin, je préfère utiliser des cœurs d'artichauts frais. Ce petit amuse-gueule, cependant, fait exception à la règle. Il est succulent et très facile à préparer sans préavis. Pour la marinade, utilisez des agrumes frais et une bonne huile d'olive fruitée.

1 bocal (12 oz/375 g) de cœurs d'artichauts conservés dans l'eau

3 c. à soupe d'huile d'olive extra-vierge

le zeste râpé d'un citron

2 c. à thé de jus de citron frais

1 c. à thé de persil plat frais émincé

½ c. à thé de sel de mer

1-1 ½ c. à thé de grains de poivre rouge et noir

2 c. à soupe de câpres ou baies de câpres, rincées

Égoutter et rincer les cœurs d'artichauts, puis éponger. Si les cœurs sont entiers, les couper en quartiers sur la longueur. Réserver.

Dans un grand bol, mélanger l'huile d'olive, le zeste de citron, le jus de citron, le persil, le sel, le poivre et les câpres avec une fourchette. Ajouter les cœurs d'artichauts et mélanger pour les enrober de marinade. Recouvrir et laisser reposer à température de la pièce 1 h, puis recouvrir et réfrigérer au moins 24 h ou jusqu'à 3 jours pour marier les saveurs. Amener à température de la pièce avant de servir.

Servir avec du fromage
Paillot, Cendrillon ou fetos

Servir avec du vin
Un blanc léger tels que Sauvignon blanc, Vermentino ou Sancerre

Noix grillées

Le grillage rehausse la saveur des noix, leur ajoute couleur et croquant. Les fromages au goût de noisette se marient bien aux noix alors que la combinaison Gorgonzola et noix de Grenoble est un classique. Servez-les avec des grappes de raisins ou des tranches de poire ou de pomme.

1 lb (500 g) de noix de Grenoble ou d'amandes

1 c. à soupe de sel de mer

2 c. à soupe de romarin frais émincé (facultatif)

Préchauffer le four à 350 °F (180 °C). Dans un bol, mélanger les noix, le sel et le romarin, le cas échéant.

Étaler les noix en une couche sur une plaque à pâtisserie à rebords. Mettre les noix au four et griller environ 10 min, en remuant à plusieurs reprises, jusqu'à ce qu'elles dégagent un arôme et commencent à dorer. Verser sur un papier essuie-tout et laisser refroidir à température de la pièce.

Transférer dans un bol pour servir. Les noix se conservent jusqu'à 1 semaine à température de la pièce dans un contenant hermétique.

Servir avec du fromage
Camembert Calendos, Kingsberg, Cantonnier, Mont Gleason, Cheddar 3 ans Caron ou Bleubry

Servir avec du vin ou de la bière
Un rouge ou blanc léger ou une bière légère

Oignons Borettana glacés

1 ½ TASSE (10 OZ/315 G)

Si vous aimez le goût fumé des piments chipotle, vous adorerez ces petits oignons parfumés aux agrumes et au piment. Je les sers aussi souvent que mes marinades maison (p. 44), en accompagnement pour le fromage, dans des sandwichs ou avec d'autres amuse-gueules.

30 oignons Borettana, d'environ 1-1 ½ po (2,5 – 4 cm) de diamètre, ou petits oignons blancs

3 c. à soupe de beurre non salé

¼ tasse (2 oz liq./60 ml) de jus d'orange frais

½ boîte de piments chipotle dans l'adobo, épépinés et émincés

Porter à ébullition une casserole remplie d'eau aux trois quarts. Ajouter les oignons et blanchir 2 min pour défaire les pelures. Égoutter et rincer à l'eau courante froide. Enlever la pelure, puis retrancher l'extrémité de la tige, en laissant la racine intacte. Cela permet à l'oignon de garder sa forme pendant la cuisson.

Dans une poêle, faire fondre le beurre à feu moyen vif. Lorsqu'il mousse, ajouter les oignons en une seule couche et cuire environ 12 min, en remuant souvent, jusqu'à ce qu'ils soient légèrement dorés. Ajouter ¼ tasse (2 oz liq./60 ml) d'eau, le jus d'orange et les piments et bien mélanger. Porter à ébullition, réduire le feu à doux, couvrir et laisser mijoter 10-15 min de plus jusqu'à ce que les oignons soient tendres et glacés et que le liquide soit presque tout évaporé.

Transférer les oignons dans un bol et laisser refroidir. Recouvrir et réfrigérer jusqu'à 1 semaine avant l'utilisation. Amener à température de la pièce avant de servir.

Servir avec du fromage
Un fromage ferme et salé tels que la Fetos, le Asiago ou un Cheddar 5 ans Caron, ou un St-Paulin Du Village semi-ferme

Servir avec du vin ou de la bière
Cabernet Sauvignon, Syrah ou Zinfandel pour le rouge, Pinot Grigio pour le blanc, ou une ale brune

Tomates rôties au four

Préparez ces succulentes tomates italiennes à longueur d'année pour retrouver le goût des tomates fraîches. (L'été, remplacez ces dernières par des tomates rustiques.) Accompagnez-les de mozzarella, de ricotta ou d'un autre fromage doux crémeux, utilisez-les en garniture sur du pain.

¼ tasse (2 oz liq./60 ml) d'huile d'olive extra-vierge, et un peu plus pour graisser

4-5 lb (2-2,5 kg) de tomates italiennes, coupées en deux sur la longueur

sel de mer

Préchauffer le four à 400 °F (200 °C). Graisser deux plaques à pâtisserie à rebords.

Disposer les tomates en une couche, côté coupé vers le haut. Badigeonner avec le ¼ tasse d'huile d'olive et saupoudrer de ½ c. à thé de sel. Rôtir au four environ 20 min jusqu'à ce que les tomates soient légèrement flétries. Réduire le feu à 225 °F (110 °C) et poursuivre la cuisson environ 2 h de plus jusqu'à ce que les tomates soient ramollies, refermées sur elles-mêmes et légèrement caramélisées.

Retirer du four et laisser refroidir à température de la pièce. Assaisonner de sel et servir.

Servir avec du fromage
Des fromages mous et doux rehaussent la saveur de la tomate :
Mozzarella Di Buffala Saputo, Crotonese ou Capriny nature

Servir avec du vin
Optez pour les vins italiens : Pinot Grigio, Vernaccia ou Vermentino pour le blanc ; Sangiovese, Barbera ou Chianti pour le rouge

Marinades rapides

2 CHOPINES
(32 OZ LIQ./1 LITRE)

Le lunch du laboureur – fromage vieilli, marinades et pain campagnard – est un classique des pubs anglais. Ici, les légumes printaniers sont trempés dans une saumure pour donner des marinades croquantes dignes d'un authentique pub qui vont parfaitement avec un cheddar friable et une chope de bière.

1 lb (500 g) de légumes mélangés tels que gombos, carottes, haricots verts, oignons rouges, betteraves, asperges et/ou radis

1 tasse (8 oz liq./250 ml) de vinaigre de vin blanc

1 c. à soupe de sel cachère

2 feuilles de laurier

2 gousses d'ail

2 c. à thé de graines de moutarde

2 c. à thé de grains de poivre

Préparer deux bocaux de 1 chopine (16 oz liq./500 ml). Parer les légumes, en s'assurant que les gombos, les carottes et les haricots verts sont ½ po (12 mm) plus courts que la hauteur des bocaux et couper les oignons, les betteraves et les radis en tranches ou en quartiers pour les entasser facilement.

Dans une petite casserole, mélanger 1 tasse (8 oz liq./250 ml) d'eau, le vinaigre et le sel. Porter à ébullition en remuant à l'occasion pour dissoudre le sel.

Mettre 1 feuille de laurier, 1 gousse d'ail et 1 c. à thé de graines de moutarde et de grains de poivre dans chaque bocal. Répartir les légumes entre les deux bocaux, et verser la saumure chaude sur les légumes, en laissant un espace libre de ½ po (12 mm). Laisser refroidir complètement, puis recouvrir de façon étanche et réfrigérer au moins 24 h avant de servir pour marier les saveurs. Les marinades se conservent jusqu'à 1 semaine.

Servir avec du fromage
Un Cheddar 5 ans Caron vieilli, un Cantonnier ou un Roche Noire

Servir avec du vin ou de la bière
Un Cabernet Sauvignon assez charnu, un Sauvignon blanc vif, ou une India Pale Ale houblonnée et sèche

Relish de citrons Meyer et d'olives vertes

Cette relish acidulée me fait penser à une tapenade au citron. J'aime la servir sur des craquelins avec de minces tranches de fromage de chèvre, en hors-d'œuvre ou pour un plateau de fromages. Pour une bouchée consistante qui accentue le goût de beurre des olives, servez-la sur un morceau de Cheddar 5 ans Caron.

2 citrons Meyer, coupés en quartiers sur la longueur et épépinés

1 échalote, hachée grossièrement

2 c. à soupe de persil plat frais haché finement

½ tasse (3 oz/90 g) d'olives vertes dénoyautées

1 c. à thé de graines de coriandre

1 c. à thé de vinaigre balsamique blanc

¼ c. à thé de sel de mer

¼ c. à thé de poivre blanc fraîchement moulu

Évider la moitié de la chair de chaque quartier de citron et jeter. Hacher grossièrement les quartiers de citron, puis les déposer dans un robot culinaire ou mélangeur. Ajouter l'échalote, le persil et les olives et pulser par intermittence pour émincer le tout, sans réduire en purée. Transférer dans un bol et incorporer les graines de coriandre et le vinaigre. Assaisonner de sel et de poivre. Pour une relish plus consistante, hacher les olives grossièrement à la main et les incorporer dans le mélange de citrons émincés avec la coriandre et le vinaigre.

Servir immédiatement ou recouvrir et réfrigérer jusqu'à 3 jours. Amener à température de la pièce avant de servir.

Servir avec du fromage
Paillot ou un Caprano, Asiago vieilli, Cheddar 5 ans Caron ou Cendrillon

Servir avec du vin
Viognier ou Grüner Veltliner pour le blanc, Zinfandel ou Syrah pour le rouge

Compote de cerises

Cette compote colorée est rapide et facile à préparer et convient à une grande variété de fromages. J'aime la servir avec des fromages mous doux tels que la ricotta et un cheddar fort. Elle est également délicieuse avec un Humboldt Fog, un fromage de chèvre fabriqué près de chez moi en Californie.

½ tasse (4 oz/125 g)
de sucre

1 tasse (6 oz/185 g)
de cerises sucrées
dénoyautées et équeutées

2 c. à thé de jus
de citron frais

¼ c. à thé d'extrait
d'amande

Dans une petite casserole, mélanger le sucre et ½ tasse (4 oz liq./125 ml) d'eau. Chauffer à feu doux et porter à faible ébullition, en remuant, jusqu'à dissolution du sucre. Ajouter les cerises et cuire environ 5 min jusqu'à ce qu'elles soient chaudes à l'intérieur. Transférer dans un bol et incorporer le jus de citron et l'extrait d'amande. Laisser refroidir à température de la pièce.

Servir immédiatement ou recouvrir et réfrigérer jusqu'à 3 jours. Amener à température de la pièce avant de servir.

Servir avec du fromage
Bella Lodi, Caprano, Cheddar 3 ans, Paillot, Cantonnier,
Maître Jules, ou Cendrillon

Servir avec du vin
Pinot Noir, Cabernet franc ou Dolcetto

Figues au xérès

Les figues fraîches et séchées sont un classique pour accompagner les fromages. Le xérès et le sucre rehaussent la douceur naturelle des figues séchées et les rendent incomparables pour accompagner le bleu ou les fromages vieillis. Je sers ces figues en hors-d'œuvre, sur un plateau de fromages ou même en dessert.

1 tasse (8 oz liq./250 ml) de xérès sec

2 c. à soupe de sucre

12 figues séchées telles que Calimyrna ou Smyrna

Dans une casserole, mélanger le xérès, le sucre et 1 tasse (8 oz liq./250 ml) d'eau. Chauffer à feu moyen, porter à ébullition, réduire le feu à doux et ajouter les figues. Laisser mijoter à découvert environ 10 min jusqu'à ce que les figues soient dodues et molles.

Retirer du feu. À l'aide d'une cuillère à égoutter, transférer les figues dans une assiette. Retrancher la tige dure, puis couper en deux ou laisser entières. Servir chaudes ou à température de la pièce. Sinon, transférer les figues et le jus de cuisson dans un contenant fermé et réfrigérer jusqu'à 5 jours. Parer les figues comme indiqué plus haut, amener à température de la pièce et servir.

Servir avec du fromage
Les fromages bleus tels que Roche Noire ou le Bleubry, ou les fromages durs vieillis tels que Caprano vieilli ou Bella Lodi

Servir avec du vin
Un rouge assez charnu, un vin santo ou un xérès

Focaccia aux raisins

Les raisins frais dans cette focaccia classique ajoutent de la couleur, de la saveur et un goût juteux. Le goût légèrement sucré des raisins produit un pain qui est particulièrement délicieux avec les fromages moyennement à très prononcé ; la douceur du fruit atténue le caractère du fromage.

1 sachet (2 ½ c. à thé) de levure active sèche

2 tasses (10 oz/315 g) de farine tout usage, et un peu plus au besoin

½ c. à thé de sel de mer fin

2 c. à soupe d'huile d'olive extra-vierge, et un peu plus pour badigeonner

1 tasse (6 oz/185 g) de raisins verts ou rouges sans pépins, ou un mélange des deux, coupés en deux

gros sel de mer pour saupoudrer

Dans un grand bol, dissoudre la levure dans ¾ tasse (6 oz liq./180 ml) d'eau tiède (110 °F/43 °C) et laisser reposer environ 5 min jusqu'à ce que le mélange soit mousseux. Incorporer la farine, le sel de mer fin et 2 c. à soupe d'huile d'olive pour faire une pâte souple. Déposer la pâte sur une surface de travail légèrement farinée et pétrir environ 10 min, jusqu'à ce qu'elle soit souple, lisse et légèrement collante. Façonner une boule, transférer dans un bol légèrement huilé, retourner pour l'enduire d'huile et la recouvrir d'un linge humide. Laisser lever dans un endroit chaud à l'abri des courants d'air environ 1 h jusqu'au double du volume.

Huiler légèrement un plat de cuisson carré de 8 po (20 cm) ou une petite plaque à pâtisserie. Incorporer les raisins dans la pâte en la pétrissant. À l'aide des doigts, étirer la pâte pour couvrir uniformément le fond du plat carré ou pour faire un ovale de 10 po (25 cm) sur la plaque. Recouvrir lâchement d'un linge et laisser gonfler environ 1 h dans un endroit chaud à l'abri des courants d'air.

Préchauffer le four à 400 °F (200 °C). Badigeonner la pâte d'huile et saupoudrer de gros sel et y faire des impressions dans la pâte avec les doigts. Cuire la pâte au four 35-45 min jusqu'à ce qu'elle soit légèrement dorée. Transférer sur une grille et laisser refroidir 5-10 min. Couper en pointes et servir.

Servir avec du fromage
Cheddar 3 ans, St-Paulin, Bella Lodi, Mont Gleason ou Caprano vieilli

Servir avec du vin
Chianti, Sangiovese, Barbera ou Nebbiolo

Entrées

Sur sa fermette située dans le nord de la Californie,

ma belle-fille apprend à fabriquer du fromage et

j'en suis l'heureuse bénéficiaire. Elle m'apporte des

échantillons de camembert et de mozzarella étirée à

la main, ainsi que des pots de son chèvre délicieusement

acidulé et légèrement poivré. Pour préparer une entrée

simple, j'aime tartiner son chèvre maison sur des crostinis

auxquels j'ajoute des kumquats et du thym frais haché

provenant de mon jardin, à deux pas de ma cuisine.

Burrata, biscottes et tomates patrimoniales

Chaque fois que je tombe sur du Burrata – un fromage italien de type mozzarella au centre onctueux – je prépare ces biscottes. En hiver, je remplace les tomates par des tomates séchées conservées dans l'huile.

¼ tasse (2 oz liq./60 ml) d'huile d'olive extra-vierge, et un peu plus au besoin

1 baguette, tranchée en biseau

4 gousses d'ail, coupées en deux sur la longueur

environ 1½ lb (750 g) de tomates patrimoniales de diverses tailles et couleurs

1 boule de fromage Burrata d'environ 10 oz (315 g)

sel de mer et poivre fraîchement moulu

Préchauffer le gril à température moyenne-élevée et huiler la grille.

Badigeonner les tranches de pain des deux côtés avec le ¼ tasse d'huile d'olive. Faire dorer sur le gril chaud environ 3 min d'un côté. Retourner et griller 2-3 min de plus sur l'autre côté. Transférer sur un plateau et frotter la surface de chacune des tranches avec le côté coupé de la gousse d'ail.

Selon leur taille, trancher finement les tomates ou couper en deux ou en quartiers. Disposer le Burrata, les tomates et le pain grillé sur un plateau de service, ajouter des contenants d'huile d'olive, de sel et de poivre et laisser les convives assembler leurs biscottes. Sinon, disposer les pains sur un plateau, déposer des tomates sur chacun, puis saler et poivrer. Terminer par un peu de Burrata et un filet d'huile d'olive. Servir immédiatement.

Essayer avec d'autres fromages
Mozzarina di Bufala ou Mozzafina

Servir avec du vin
Cépages d'Italie du Sud tels que Falanghina pour le blanc et Nero d'Avola pour le rouge

Dattes chaudes aux noix et au parmesan

L'hiver est la saison des dattes et je guette les nouveaux arrivages chaque année, en particulier les Medjool bien dodues. J'aime combiner le fruit sucré et dense aux noix croquantes et au parmesan salé. Vous pouvez préparer cette entrée d'avance et la réchauffer avant de servir.

24 grosses dattes Medjool, de préférence

2 c. à thé d'huile d'olive extra-vierge ou huile de noix, et un peu plus pour arroser

un morceau de 2 oz (60 g) de parmesan, préférablement du Parmigiano-Reggiano ou encore du Bella Lodi

24 demi-noix de Grenoble

Préchauffer le four à 350 °F (180 °C).

À l'aide d'un couteau d'office, faire une petite incision dans chaque datte sur la longueur et dénoyauter délicatement. Dans un bol, mélanger délicatement les dattes et les 2 c. à thé d'huile d'olive. Disposer les dattes en une couche sur une plaque à pâtisserie ou un plat de cuisson peu profond, le côté entaillé vers le haut. À l'aide d'un épluche-légumes, couper le fromage en copeaux. Fourrer chaque datte d'un ou deux copeaux de fromage et d'une demi-noix.

Cuire au four environ 10 min jusqu'à ce que les dattes soient bien chaudes. Transférer sur un plateau, arroser d'huile d'olive et servir immédiatement.

Essayer avec d'autres fromages
Caprano ou Cendrillon

Servir avec du vin
Pinot noir ou vin pétillant tel que Prosecco

Nectarines grillées au fromage

Lorsqu'on fait griller les nectarines, elles se caramélisent légèrement et perdent un peu de leur acidité. Un fromage à pâte molle bien mûr au centre coulant tel que le brie ou le camembert, ou un triple crème comme le Cendré de Lune se marie bien aux fruits à noyau. Voici un de mes plats d'été préférés.

4 nectarines

2 c. à soupe d'huile d'olive extra-vierge

6 oz (185 g) de fromage à pâte molle (voir note)

Préchauffer le gril à température moyenne-élevée et huiler la grille.

Couper chaque nectarine en deux et dénoyauter. Badigeonner d'huile d'olive. Mettre sur le gril chaud et griller environ 5 min, en les tournant une ou deux fois, jusqu'à ce que la surface soit légèrement marquée et commence à caraméliser. (Sinon, préchauffer le four à 450 °F [230 °C]. Disposer les demi-nectarines en une couche dans un plat de cuisson peu profond et rôtir 5-7 min, en les tournant plusieurs fois, jusqu'à ce qu'elles soient luisantes et juteuses.)

Pour servir, disposer 2 demi-nectarines grillées dans chaque assiette. Répartir le fromage également entre les assiettes et servir immédiatement.

Idées pour servir

Tranchez le fromage en petites pointes pour servir avec les fruits ; si le fromage est particulièrement coulant, versez des cuillérées de fromage dans les cavités des demi-nectarines.

Servir avec du vin

Rosé, Sauvignon blanc ou vin pétillant tels que prosecco ou *cava*

Fondant de fromage à croûte fleurie aux fruits séchés

Les fromages triple crème tels que le Saint-Honoré, le Triple Crème Du Village ou le Cendré de Lune sont savoureux cuits au four. Le fait de tremper les fruits dans du rhum ajoute de la saveur et rehausse le goût du fromage. J'habite une région productrice d'abricots mais les pêches, les poires et les nectarines séchées seraient également un excellent choix pour cette recette.

¼ tasse (1 ½ oz/45 g) de raisins secs dorés

¼ tasse (1 ½ oz/45 g) de raisins secs noirs

2-4 abricots séchés, émincés

½ tasse (4 oz liq./125 ml) de rhum foncé ou léger

1 rond ou pointe de fromage à croûte fleurie (voir note), d'un diamètre d'environ 3 po (7,5 cm) et d'une épaisseur de 2 po (5 cm)

1 baguette, en tranches, pour servir

Dans un bol, mélanger les raisins secs et les abricots avec le rhum, couvrir et laisser reposer 24 h à température ambiante.

Égoutter et réserver le rhum aromatisé aux fruits pour un autre usage. Éponger les fruits. Mettre le fromage dans un petit plat de cuisson. Entasser les fruits gorgés de rhum sur le fromage, en appuyant pour les faire tenir en place, et tout autour. Réfrigérer 15 min. Préchauffer le four à 425 °F (220 °C).

Cuire au four environ 10 min jusqu'à ce que le fromage soit bien chaud. Servir immédiatement, accompagné de tranches de pain baguette.

Essayer avec d'autres fromages
Brie Alexis de Portneuf, Le Calendos, ou la Tentation

Servir avec du vin
Chardonnay, Bordeaux ou Cabernet-Sauvignon, ou un vin de dessert tels que Sauternes ou Muscat

Tartelettes aux figues, au bleu et aux noix

Presque tous les fromages bleus conviennent à ces tartelettes. L'idée est d'ajouter suffisamment de crème ou de lait pour faire une pâte tartinable qui couvrira la pâtisserie. J'aime utiliser le bleu d'Auvergne, un fromage moyennement fort au goût, qui se marie bien avec les produits laitiers.

12-14 figues fraîches

farine tout usage pour saupoudrer

1 feuille de pâte feuilletée surgelée d'environ ½ lb (250 g), décongelée selon les indications du fabricant

6 oz (185 g) de fromage bleu tel que Bleubry, à température de la pièce

2 c. à soupe de crème 10 % M.G. ou lait entier, et un peu plus au besoin pour faire une pâte tartinable

¼ tasse (1 oz/30 g) de noix de Grenoble hachées finement

½ c. à thé de poivre fraîchement moulu

½ c. à thé de thym frais émincé

1 c. à thé d'huile d'olive extra-vierge

Préchauffer le four à 375 °F (190 °C). Retrancher la queue de chaque figue. Couper les figues sur la longueur en tranches de ¼ po (6 mm).

Sur une surface légèrement farinée, abaisser la pâte feuilletée en un rectangle de 10 x 12 po (25 x 30 cm) à une épaisseur de ¼ po (6 mm). À l'aide d'un emporte-pièce de 5 po (13 cm) de diamètre, découper 4 ronds. Tapisser une plaque à pâtisserie de papier parchemin. Transférer chaque rond de pâte sur la plaque préparée et former un rebord à l'aide du pouce et de l'index.

Dans un petit bol, à l'aide d'une fourchette, écraser le fromage et la crème, puis incorporer les noix. Étendre un quart du mélange au fromage au fond de chaque tartelette. Disposer les tranches de figue par-dessus en une couche, en les faisant se chevaucher légèrement. Assaisonner de poivre et de thym, puis arroser d'huile d'olive. Mettre les tartelettes au congélateur 10 min pour permettre à la pâte de bien gonfler en cuisant.

Cuire les tartelettes au four 15-20 min jusqu'à ce que la croûte soit légèrement dorée et les figues tendres. Transférer sur une grille pour les laisser refroidir environ 15 min. Retirer les tartelettes de la plaque et servir chaudes ou à température de la pièce.

Servir avec du vin
Un vin de dessert sucré tel que le Sauternes ou un rouge charnu tels que le Zinfandel, le Syrah ou le Sangiovese

Trempette au Gorgonzola et crudités

Il y a plusieurs variétés de Bleu sur le marché dont certaines sont plus crémeuses. J'aime utiliser le Gorgonzola *dolce* pour cette trempette, c'est le plus crémeux. Servez-la avec un assortiment de légumes colorés de saison : radis et asperges au printemps, courgettes et pois sucrés en été.

16 turions d'asperge, les bouts durs retranchés

8 radis moyens ou 12 petits radis avec quelques feuilles vertes

4 carottes moyennes ou 8 petites carottes

1 tasse (3 oz/90 g) de fleurons de chou-fleur

12 oignons verts (facultatif)

5 oz (155 g) de fromage Gorgonzola (voir note) ou Bleubry

¼ tasse (2 oz liq./60 ml) de crème épaisse, et un peu plus au besoin

¼ c. à thé de poivre fraîchement moulu

Porter de l'eau à ébullition dans une casserole avec marguerite. Déposer les asperges dans la marguerite, couvrir et étuver environ 4 min jusqu'à ce qu'elles soient mi-tendres, mi-croquantes. Retirer les asperges et laisser refroidir complètement. Couper les turions en deux de biseau.

Couper les radis en tranches fines sur la largeur, en quartiers sur la longueur ou les laisser entiers selon la taille. Peler les carottes. Couper les petites carottes en deux sur la longueur ; couper les grosses carottes en deux sur la largeur puis en deux sur la longueur. Décortiquer le chou-fleur en plus petits fleurons. Retrancher la racine et les tiges coriaces des oignons verts, le cas échéant.

Dans un petit bol, à l'aide d'une fourchette, écraser le fromage et la crème, en ajoutant de la crème au besoin pour obtenir une consistance de trempette. Poivrer et mettre dans un petit bol de service.

Disposer les légumes sur un plateau et servir avec la trempette.

Idées pour servir

Utilisez comme tartinade pour sandwich et ajoutez du rosbif, du prosciutto ou du jambon serrano

Servir avec du vin

Champagne, prosecco ou *cava*

Trempette aux artichauts et au fromage

Le parmesan est un fromage polyvalent. Dans cette recette, le fromage ajoute un goût de noisette et permet de lier le goût des cœurs d'artichauts aux autres ingrédients. On obtient une trempette légère et acidulée qui est rapide et facile à préparer. Servez-la avec des crostinis ou des craquelins.

1 bocal (12 oz/375 g) de cœurs d'artichauts conservés dans l'eau

1 ½ c. à soupe de beurre non salé, à température de la pièce

¾ tasse (3 oz/90 g) de parmesan, tel que Bella Lodi

¼ c. à thé de poivre fraîchement moulu, et un peu plus au goût

1 c. à soupe de zeste de citron fraîchement râpé

2 c. à thé de jus de citron frais

sel de mer

2 c. à soupe de petites câpres, rincées

Égoutter et rincer les cœurs d'artichauts ; puis les éponger et les hacher grossièrement. Dans un robot culinaire, mélanger les cœurs d'artichauts, le beurre, le Bella Lodi, ¼ c. à thé de poivre et le zeste et jus de citron. Réduire en une pâte.

Transférer le mélange dans un bol et assaisonner de sel et de poivre au besoin. Garnir de câpres et servir immédiatement, ou recouvrir et réfrigérer jusqu'à 1 semaine.

Essayer avec d'autres fromages
Romano Saputo, ou Grana Padano

Servir avec du vin
Sauvignon blanc ou vin pétillant tel que *cava*

Trempette pimentée au fromage

Ma famille adore cette trempette simple, à la fois crémeuse et épicée. Nous la servons avec des craquelins et des tortillas ainsi que du céleri, des jicamas et des carottes en crudités. Mon marché latin local vend du Cotija piquant, un fromage au lait de vache fabriqué à Michoacán au Mexique.

2 poivrons rouges

1 piment Anaheim

½ tasse (4 oz/125 g) de crème fraîche

½ tasse (4 oz/125 g) de crème sure

½ tasse (2 ½ oz/75 g) de fromage Cotija ou Tomme des Cantons coupé en cubes

1 piment Jalapeño, ou 2 piments Serrano, avec les graines, équeutés et émincés

¼ d'oignon blanc, émincé (environ 3 c. à soupe)

¼ c. à thé de poivre de Cayenne

¼ c. à thé de cumin moulu

sel de mer

Préchauffer le gril.

Disposer les poivrons et le piment Anaheim sur une petite plaque à pâtisserie. Mettre sous le gril, en les tournant au besoin, jusqu'à ce qu'ils soient grillés de tous les côtés. Transférer les poivrons et le piment dans un sac refermable en plastique, sceller et laisser refroidir. Lorsque les poivrons et le piment sont assez froids pour être manipulés, les retirer du sac et les peler avec les doigts. Évider et épépiner, puis hacher finement.

Dans un bol, mélanger la crème fraîche avec la crème sure, le fromage, le piment Jalapeño, les poivrons rôtis et le piment Anaheim rôti. Incorporer l'oignon, le poivre de Cayenne et le cumin. Assaisonner de sel.

Servir immédiatement, ou recouvrir et réfrigérer jusqu'à 1 semaine. Servir à la température de la pièce.

Idées pour servir
Utilisez-la comme tartinade pour sandwich avec du rosbif, de la dinde ou du porc déchiqueté, ou pour garnir des haricots ou du riz

Servir avec de la bière
Une bière mexicaine blonde ou foncée avec de la lime

Pain plat à la féta, au thym et aux tomates rôties

J'ai la chance d'avoir un four à bois extérieur que j'utilise pour préparer des pains plats de tous genres, dont celui-ci inspiré par la Méditerranée. La féta ajoute un goût salé légèrement acidulé qui équilibre les saveurs sucrées et fumées des tomates rôties.

1 sachet (2 ½ c. à thé) de levure sèche active

½ c. à thé de sucre

2 c. à soupe d'huile d'olive extra-vierge

2 tasses (10 oz/315 g) de farine tout usage, et un peu plus au besoin

1 c. à thé de gros sel de mer

semoule de maïs ou farine de riz, pour saupoudrer

POUR LA GARNITURE

16 tomates rôties au four (page 43)

3 c. à thé de thym frais émincé

6 oz (185 g) de féta Saputo, émiettée

20-24 olives noires conservées dans l'huile, dénoyautées et coupées en deux

1 c. à soupe d'huile d'olive extra-vierge

Dissoudre la levure dans 1 tasse (8 oz liq./250 ml) d'eau tiède (110 °F/43 °C), incorporer le sucre et laisser reposer environ 5 min jusqu'à ce qu'une mousse se forme. Transférer le mélange de levure dans un robot culinaire. Ajouter l'huile d'olive, 2 tasses de farine et le sel et pulser par intermittence, en ajoutant de la farine au besoin pour empêcher la pâte de coller, jusqu'à formation d'une pâte souple. Pétrir environ 7 min jusqu'à ce qu'elle soit lisse et élastique. Former une boule, transférer dans un bol légèrement huilé, retourner pour enduire d'huile et couvrir avec un linge humide. Laisser la pâte gonfler environ 1 h dans un endroit chaud à l'abri des courants d'air jusqu'au double du volume.

Mettre une pierre de cuisson au four et préchauffer à 500 °F (260 °C). Diviser la pâte en deux. Sur une surface légèrement farinée, abaisser une moitié pour faire un ovale d'environ 12 po (30 cm) d'une épaisseur de ¼ po (6 mm). Disposer la moitié des tomates uniformément sur la pâte. Parsemer uniformément de la moitié du thym et du fromage et ajouter la moitié des olives. Glisser le pain plat sur la pierre chaude et cuire 10-15 min jusqu'à ce que la croûte soit bouillonnante et croustillante sur le dessous. Arroser avec la moitié de l'huile, découper et servir. Répéter avec le reste de la pâte et les garnitures.

Essayer avec d'autres fromages
Bleubry, Capriny, Mozzarina di Bufala, Saint-Paulin Du Village

Servir avec du vin
Un vin blanc léger et fruité tel que Albariño ou Pinot Grigio

Crostinis au chèvre et aux kumquats

6-8 PORTIONS

Cette combinaison inhabituelle de chèvre et de kumquats est surprenante mais très agréable. Le chèvre légèrement acidulé se marie à merveille avec l'agrume juteux et vif. En frottant les crostinis d'ail, on ajoute une saveur supplémentaire que vous pouvez omettre, si vous voulez.

1 baguette, tranchée en biseau en tranches de ¼ po (6 mm)

2 c. à soupe d'huile d'olive extra-vierge

3 gousses d'ail, coupées en deux sur la longueur

4-5 oz (125-155 g) de chèvre ou de Capriny aux herbes, à température de la pièce

1 c. à thé de thym frais émincé, plus quelques feuilles pour garnir (facultatif)

20-25 kumquats, environ 1 lb (500 g) au total, coupés en deux, épépinés et hachés

Préchauffer le four à 350 °F (180 °C).

Disposer les tranches de baguette sur une plaque à pâtisserie à rebords et badigeonner légèrement d'huile d'olive. Cuire au four environ 6 min jusqu'à ce que les dessous soient légèrement dorés. Retourner les tranches et cuire environ 5 min de plus jusqu'à ce que l'autre côté soit légèrement doré. Laisser refroidir, puis frotter le côté huilé avec le côté coupé des gousses d'ail.

Dans un bol, à l'aide d'une fourchette, écraser le fromage et le thym.

Étendre environ 2 c. à thé du du chèvre sur chaque pain et ajouter un peu de kumquats hachés par-dessus. Terminer avec les feuilles de thym, si désiré. Servir immédiatement.

Essayer avec d'autres fromages
Tomme des Cantons, Capriny aux poivres

Servir avec du vin
Un Sauvignon blanc ou Sancerre vif aux notes d'agrumes

Pain à l'ail au fromage blanc épicé

Voici ma version d'un fromage à tartiner que j'ai savourée en Provence lors d'une fête pour célébrer les vendanges. Le type qui m'a fait goûter utilisait son propre fromage à base de lait de chèvre et le résultat était divin. La *harissa* ajoute une note piquante à la tartinade crémeuse.

1 baguette, coupée en biseau en tranches de ¼ po (6 mm)

2 c. à soupe d'huile d'olive extra-vierge

3 gousses d'ail, coupées en deux sur la longueur

1 tasse (8 oz/250 g) de fromage blanc ou de Chèvre des neiges

2 c. à soupe de crème épaisse, et un peu plus au besoin

2 c. à soupe d'échalotes émincées

2 c. à soupe de ciboulette émincée, et quelques tiges pour garnir

½ c. à thé de sel de mer

2 c. à soupe de harissa, ou au goût

Disposer les tranches de pain sur une plaque à pâtisserie et badigeonner légèrement la surface d'huile d'olive. Cuire au four environ 6 min jusqu'à ce que leur base soient légèrement dorée. Retourner les tranches et cuire environ 5 min de plus jusqu'à ce qu'elles soient légèrement dorées sur l'autre côté. Laisser refroidir, puis frotter le côté huilé avec le côté coupé des gousses d'ail.

Dans un bol, mélanger le Chèvre des neiges avec la crème, en ajoutant plus de crème au besoin pour faire une pâte tartinable. Incorporer les échalotes, la ciboulette émincée, le sel et la *harissa*. Rectifier l'assaisonnement en ajoutant de la *harissa* pour un goût plus relevé.

Tartiner les biscottes de mélange au fromage. Disposer sur un plateau, garnir de tiges de ciboulette et servir immédiatement.

Essayer avec d'autres fromages
Capriny ou Caprichef nature

Servir avec du vin
Un vin blanc vif tel que Pinot Grigio, Sauvignon blanc ou Sancerre

Craquelins au cheddar et aux graines

C'est amusant et facile de préparer ses propres craquelins. Dégustez-les tels quels ou les garnir de graines, d'épices ou de noix hachées. Le goût prononcé et velouté du cheddar et sa texture semi-ferme en font mon fromage préféré pour les craquelins, les biscuits et les muffins.

1 ½ tasse (7 ½ oz/235 g) de farine tout usage, et un peu plus pour saupoudrer

½ c. à thé de gros sel de mer

⅛ c. à thé de poivre de Cayenne

½ tasse (4 oz/125 g) de beurre non salé, à température de la pièce, coupé en morceaux de ½ po (12 mm)

2 tasses (8 oz/250 g) de fromage cheddar Caron 3 ans

1 c. à thé de graines de carvi

1 c. à thé de graines de pavot blanc ou noir

1 c. à thé de graines de cumin

Préchauffer le four à 375 °F (190 °C). Dans un bol, mélanger la farine avec le sel et le poivre de Cayenne. Dans un robot culinaire, mélanger le beurre et le fromage pour obtenir une pâte lisse. Ajouter le mélange de farine et actionner à plusieurs reprises pour obtenir une pâte grossière. Retirer la pâte, et façonner une boule lisse.

Pour préparer des craquelins plus costauds, pincer des morceaux de pâte et les rouler entre les paumes pour faire des boules de 1 po (2,5 cm). Sur une surface légèrement farinée, abaisser chaque boule en un rond d'une épaisseur d'environ ⅛ po (3 mm). Pour des craquelins plus raffinés, sur une surface légèrement farinée, abaisser la pâte en une feuille de ⅛ po. À l'aide d'un emporte-pièce de 1 ½ po (4 cm), découper des ronds. Recueillir les retailles, abaisser de nouveau et découper d'autres ronds.

À l'aide d'une spatule, transférer délicatement les ronds de pâte sur une ou plusieurs plaques à pâtisserie non graissées, en les espaçant d'environ ½ po (12 mm). Dans un petit bol, mélanger les graines de carvi, de pavot et de cumin. Éparpiller les graines mélangées uniformément sur les craquelins, puis appuyer doucement pour les faire pénétrer dans la pâte. Cuire au four 12-15 min jusqu'à ce que les craquelins soient légèrement dorés. Laisser refroidir au moins 10 min sur les plaques au-dessus d'une grille, puis servir tièdes ou à température de la pièce.

Essayer avec d'autres fromages
Un bon fromage fondant tel que le Sir Laurier, un Kingsberg ou un Cogruet

Servir avec de la bière
Une bière Pils ou une India Pale Ale

Bâtonnets au fromage

Ces bâtonnets mettent en vedette deux fromages vieillis, un au lait de vache et l'autre au lait de brebis. Le parmesan est plus doux mais son goût particulier est parfaitement reconnaissable ; le pecorino, plus rustique, ajoute une pointe salée. Ils accompagnent bien les soupes et les salades.

½ tasse (4 oz/125 g) de beurre non salé, à température de la pièce, coupé en morceaux de ½ po (12 mm), et un peu plus pour graisser

5 oz (155 g) de pecorino ou de Romano Saputo, râpé grossièrement

5 oz (155 g) de parmesan ou de Bella Lodi

½ c. à thé de poivre blanc fraîchement moulu

¼ c. à thé de poivre de Cayenne

1 tasse (5 oz/155 g) de farine tout usage, et un peu plus pour saupoudrer

Dans un robot culinaire, mélanger les morceaux de beurre, le Romano Saputo, le Bella Lodi et les poivres blanc et de Cayenne et réduire en une pâte. Ajouter doucement la farine en pulsant pour mélanger. Lorsque toute la farine est incorporée, retirer la pâte du robot, façonner en une boule, emballer dans une pellicule plastique et réfrigérer au moins 1 h ou jusqu'à 3 h.

Préchauffer le four à 350 °F (180 °C). Graisser légèrement une plaque à pâtisserie à rebords ou la tapisser de papier parchemin. Couper la pâte en 6 morceaux égaux. Travailler avec un morceau à la fois et recouvrir les autres morceaux. Sur une surface légèrement farinée, à l'aide des paumes, rouler la pâte sur la surface de travail pour former un cylindre étroit au diamètre d'une paille. Couper en longueurs de 6 à 8 po (15 à 20 cm) et les mettre sur la plaque préparée en les espaçant d'environ 2 po (5 cm). Répéter avec les autres morceaux de pâte.

Cuire les bâtonnets au four 15-20 minutes jusqu'à ce qu'ils soient bien dorés et légèrement croustillants. Laisser refroidir 5-10 min, puis transférer sur un plateau de service et servir tièdes ou à température de la pièce. Sinon, laisser refroidir complètement, transférer dans un sac de papier fermé lâchement et conserver dans un endroit sec à température de la pièce jusqu'à 5 jours.

Servir avec du vin ou de la bière
Chianti, Sangiovese ou Barbera pour le rouge ; Grüner Veltliner ou Vermentino pour le blanc ; stout ambre pour la bière

Fleurs de courgette
farcies à la ricotta

Les Italiens sont si friands des fleurs de courge farcies qu'ils ont élaboré des variétés de courgettes qui produisent de grosses fleurs robustes. On peut les farcir de divers fromages mais j'aime bien le goût délicat de la ricotta Saputo au lait entier.

18 grosses fleurs de courgette avec la queue

½ tasse (4 oz/125 g) de ricotta Saputo fraîche au lait entier

1 ½ tasse (7 ½ oz/235 g) de farine tout usage

1 c. à thé de sel de mer fin

1 c. à soupe d'huile d'olive extra-vierge

1 gros œuf, légèrement battu

huile de canola pour frire

brins de persil plat frits, pour servir (facultatif)

gros sel de mer

Retirer l'étamine au centre de chaque fleur. Laver et éponger délicatement les fleurs. Verser une cuillérée comble de ricotta au centre de chacune. Tourner les extrémités des pétales pour sceller et réserver.

Dans un bol, mélanger la farine et le sel de mer fin. Ajouter l'huile d'olive, l'œuf et 2 tasses (16 oz liq./500 ml) d'eau et fouetter pour faire une pâte.

Verser l'huile de canola dans une sauteuse profonde à hauteur de 2 po (5 cm). Chauffer à feu moyen-vif jusqu'à une température de 375 °F (190 °C) sur un thermomètre à friture. Glisser délicatement les fleurs dans la panure, une à la fois, et les enrober uniformément. À l'aide d'une cuillère à égoutter, retirer les fleurs de la panure en laissant tomber le surplus et les déposer soigneusement dans l'huile chaude. Frire 4 ou 5 fleurs à la fois, 1-2 minutes, en les espaçant d'environ 1 po (2,5 cm) et en les tournant une fois si nécessaire pour les dorer uniformément. À l'aide de la cuillère à égoutter, transférer sur du papier essuie-tout.

Si le persil frit est utilisé en garniture, lorsque toutes les fleurs sont cuites, ajouter les brins de persil à l'huile chaude et frire environ 30 secondes jusqu'à ce qu'ils soient tout juste croustillants. Transférer sur un papier essuie-tout.

Saupoudrer les fleurs de courgette de gros sel de mer et garnir de persil, si désiré. Servir immédiatement.

Essayer avec d'autres fromages
Cendrillon, féta Saputo ou Mozzarina di Bufala

Pecorino frit, salsa aux fruits d'été

Si vous faites chauffer un fromage Pecorino dans une poêle, il devient croustillant au lieu de fondre. (La même technique vaut pour le fromage parmesan.) Ces galettes croquantes sont délicates et délicieuses, et le goût de sel rehausse parfaitement la salsa pimentée aux fruits d'été.

1 pêche, coupée en deux, dénoyautée et hachée finement

2 nectarines, coupées en deux, dénoyautées et hachées finement

2 c. à soupe d'oignon rouge tranché finement

¼ c. à thé de flocons de piment fort

2 c. à soupe de jus de lime frais

¼ c. à thé de sel de mer, ou au goût

½ lb (250 g) de Pecorino, coupé en tranches d'environ ⅛ po (3 mm)

Pour préparer la salsa, dans un bol, mélanger la pêche, les nectarines, l'oignon rouge et les flocons de piment. Ajouter le jus de lime et ¼ c. à thé de sel et mélanger délicatement avec une cuillère en bois. Rectifier l'assaisonnement au besoin. Réserver.

Chauffer une poêle antiadhésive à feu moyen. Lorsqu'elle est chaude, réduire le feu à doux. Mettre les tranches de fromage dans la poêle en prenant soin de ne pas trop les tasser. Lorsque les bords sont dorés, retourner et cuire l'autre côté 2-3 min de plus jusqu'à ce que le dessous soit doré, puis transférer sur un plateau de service.

Servir les tranches frites immédiatement, garnies de salsa.

Essayer avec d'autres fromages
Bella Lodi ou Doré-Mi

Servir avec du vin
Un vin pétillant ou un blanc aux notes minérales tel que Sauvignon blanc ou Grüner Veltliner

Figues grillées au Cantonnier et au prosciutto

Les figues fraîches grillées ont un goût caramélisé qui convient parfaitement au trio classique italien de fromage salé, salaison et fruit mûr. J'aime servir les figues chaudes du gril en entrée ou les mélanger à une salade de roquette simple pour un repas léger.

16 figues fraîches

2 c. à soupe d'huile d'olive extra-vierge

3 oz (90 g) de Cantonnier, tranché finement

3 oz (90 g) de prosciutto, tranché finement, chaque tranche coupée en deux ou trois pour faire 16 morceaux

Préchauffer le gril à température moyenne-élevée et huiler la grille.

Disposer les figues en une couche dans un plat de cuisson peu profond. Arroser d'huile d'olive et tourner pour les enduire d'huile.

Mettre les figues sur la grille chaude et griller environ 3 min, en les tournant une fois, jusqu'à ce que la peau commence à luire et à noircir légèrement. (Sinon, préchauffer le four à 450 °F [230 °C]. Mettre les figues au four 5-7 min dans le plat de cuisson peu profond, en les tournant à plusieurs reprises, jusqu'à ce qu'elles soient luisantes et dodues.)

Transférer les figues sur une grille (ou les laisser dans le plat de cuisson) jusqu'à ce qu'elles soient manipulables. Faire une entaille depuis la queue jusqu'à la base et y introduire un morceau de fromage et une demi-tranche de prosciutto. Servir immédiatement.

Essayer avec d'autres fromages
Bella Lodi ou Caprano

Servir avec du vin
Un rouge charnu tel que Cabernet-Sauvignon, Barbaresco, Côtes du Rhône, Languedoc ou Rioja

Gougères au Beaufort, à la ciboulette et au poivre noir

J'ai observé la fabrication du Beaufort pour la première fois dans les Alpes françaises, dans la province de Savoy, son pays d'origine. Je l'ai dégusté à diverses étapes d'affinement et depuis ce temps, je ne m'en lasse pas. Son goût de beurre convient parfaitement à ces gougères.

6 c. à soupe (3 oz/90 g) de beurre non salé

1 c. à thé de sel de mer

½ c. à thé de poivre fraîchement moulu

1 tasse (5 oz/155 g) de farine tout-usage

5 gros œufs

1 ½ tasse (6 oz/185 g) de Beaufort ou de Cantonnier râpé

2 c. à soupe de ciboulette ou de persil plat, émincé

Préchauffer le four à 425 °F (220 °C).

Dans une casserole à feu moyen-vif, mélanger 1 tasse (8 oz liq./250 ml) d'eau avec le beurre, le sel et le poivre. Porter à ébullition en remuant sans cesse. Continuer la cuisson 3-4 min jusqu'à ce que le beurre soit complètement fondu. Ajouter la farine d'un coup et mélanger vigoureusement environ 3 min avec une cuillère en bois jusqu'à formation d'une pâte épaisse qui se décolle des parois. Retirer du feu et faire un puits au centre. Casser un œuf dans le puits et le battre avec la cuillère en bois ou un batteur à main pour l'incorporer à la pâte chaude. Répéter avec 3 autres œufs, en battant entre chaque addition ; il devrait rester 1 œuf. Ajouter 1 tasse (4 oz/125 g) de fromage et la ciboulette et bien mélanger.

Tapisser deux plaques à pâtisserie de papier parchemin. Pour former chaque gougère, tremper une cuillère à café dans l'eau froide, puis puiser une cuillérée de pâte et la déposer sur la plaque en la décollant avec les doigts. Répéter, en trempant la cuillère dans l'eau chaque fois et en espaçant les boules de 3 po (7,5 cm). Battre légèrement l'œuf restant pour badigeonner les gougères, en prenant soin de ne pas laisser tomber de gouttes sur la plaque et ainsi les empêcher de gonfler. Gratiner avec la ½ tasse (2 oz/60 g) de fromage restant.

Cuire au four 10 min, puis réduire la température à 350 °F (180 °C) et cuire 15 min de plus jusqu'à ce que les gougères soient dorées et croustillantes. Percer chaque boule avec une brochette pour relâcher la vapeur, éteindre le four et laisser les gougères dans le four 10 min. Servir chaudes ou à température de la pièce.

Maïs soufflé au parmesan et au poivre noir

Le maïs soufflé est une collation simple à préparer mais avec une généreuse addition de fromage, il devient vraiment appétissant. Ici, le parmesan salé se marie harmonieusement au poivre noir, à l'huile d'olive et au beurre pour un maximum de saveur.

2 c. à soupe d'huile d'olive

½ tasse (3 oz/90 g) de grains à maïs soufflé

1 c. à soupe de beurre non salé, fondu

¼ tasse (1 oz/30 g) de parmesan fraîchement râpé,

sel de mer et poivre fraîchement moulu

Dans une grande casserole, à feu moyen, chauffer 1 c. à soupe d'huile d'olive. Ajouter les grains de maïs, couvrir et cuire environ 5 min, en remuant la casserole souvent, jusqu'à ce que l'éclatement diminue. Retirer du feu et attendre la fin de l'éclatement avant d'ôter le couvercle.

Transférer le maïs soufflé dans un grand bol. Arroser de la c. à soupe d'huile d'olive restante et du beurre fondu et mélanger pour l'enduire du mélange d'huile. Saupoudrer de parmesan, assaisonner de sel et de poivre et mélanger de nouveau. Répartir entre les bols de service, si désiré, et servir chaud.

Maïs soufflé au cheddar et au romarin

Faire éclater le maïs comme indiqué, en remplaçant l'huile d'olive par de l'huile de canola. Dans une autre casserole, mélanger 2 c. à soupe de beurre non salé et ¼ tasse (1 oz/30 g) de cheddar Caron 3 ans râpé à feu doux jusqu'à ce que le beurre soit fondu (le mélange peut ne pas être homogène). Incorporer 1 c. à soupe de romarin frais émincé. Arroser le maïs soufflé de ce mélange, et assaisonner de sel et de poivre.

Servir avec du vin ou de la bière
Un vin rouge sec tel que Malbec, un blanc vif tel que Albariño ou toute variété de bière

Soupes, salades

Il y a un tiroir dans mon réfrigérateur entièrement consacré aux fromages et il est toujours bien pourvu. Pour les salades, que je prépare tous les soirs, je choisis généralement du féta, du parmesan, du Crottin de Chavignol, de la mozzarella fraîche, ou un bleu que je râpe, que je débite en copeaux ou que j'émiette sur des laitues fraîchement cueillies. Pour les soupes, j'utilise habituellement du cheddar, du Gruyère ou de la ricotta fraîche. Je conserve également les croûtes de parmesan pour épaissir les soupes et leur ajouter un subtil goût du terroir.

Velouté à la bière, au cheddar et aux échalotes

Cette soupe réconfortante évoque les plats d'un pub anglais. La bière et les aromates ajoutent un goût piquant et parfumé qui modère la richesse du fromage. Pour de meilleurs résultats, utilisez un fromage cheddar extra-fort. Prenez garde de ne pas laisser bouillir la soupe une fois que le fromage a été ajouté, cela pourrait la rendre granuleuse.

¼ tasse (2 oz liq./60 ml) d'huile de canola

4-6 échalotes, tranchées finement

2 pommes de terre jaunes à bouillir

1 oignon jaune

2 branches de céleri

2 carottes pelées

4 c. à soupe (2 oz/60 g) de beurre non salé

1 gousse d'ail émincée

⅓ tasse (2 oz/60 g) de farine tout usage

1 c. à thé de sel de mer

½ c. à thé de paprika

⅛ c. à thé de poivre de Cayenne

2 tasses (16 oz liq./500 ml) de lait entier

½ tasse (4 oz liq./125 ml) de crème épaisse

1 ½ tasse (12 oz liq./375 ml) de bouillon de poulet pauvre en sel

1 bouteille (12 oz liq./375 ml) de bière de type ale

1 c. à soupe de sauce Worcestershire

1 c. à thé de moutarde sèche

1 lb (500 g) de cheddar râpé tel qu'un cheddar Caron 5 ans

Dans une poêle à feu moyen-vif, faire chauffer l'huile de canola. Ajouter les échalotes et cuire environ 5 min, en tournant une ou deux fois, jusqu'à ce qu'elles soient croustillantes et dorées. À l'aide d'une cuillère à égoutter, transférer dans un bol et réserver.

Couper les pommes de terre en dés de ½ po (12 mm) ; hacher l'oignon, le céleri et les carottes. Dans une casserole à feu moyen-vif, faire fondre le beurre. Ajouter les légumes et l'ail, réduire le feu à moyen-doux et cuire 7-10 min, en remuant, jusqu'à ce qu'il soient ramollis et les pommes de terre presque tendres. Saupoudrer les légumes de farine, de sel, de paprika et de poivre de Cayenne et remuer jusqu'à ce que la farine soit légèrement dorée. Ajouter doucement le lait en raclant le fond de la poêle. Incorporer la crème, le bouillon, la bière, la sauce Worcestershire et la moutarde en fouettant sans cesse. Augmenter le feu à moyen et continuer la cuisson environ 5 min, en remuant, pour marier les saveurs ; prendre garde de ne pas laisser bouillir le mélange. Ajouter le fromage et cuire 2-3 min en remuant jusqu'à ce qu'il soit fondu.

Retirer du feu et réduire en purée à l'aide d'un mélangeur à immersion ou dans un mélangeur ordinaire. Réchauffer jusqu'à ce que la soupe soit fumante. Verser dans des bols, garnir d'échalotes croustillantes et servir immédiatement.

───── ◉ ─────

Servir avec du vin ou de la bière
Un rouge charnu, un blanc vif, une ale foncée ou une India Pale Ale charnue

Soupe à l'oignon gratinée

Ma fille, sa belle-mère française et moi-même avions préparé cette soupe deux jours avant son mariage, qui a été célébré chez moi. La mariée voulait servir une soupe à l'oignon sur le coup de minuit, et c'est ce que nous avons fait, en demandant aux musiciens et aux invités encore présents de se joindre à nous.

6 c. à soupe (3 oz/90 g) de beurre non salé

1 c. à soupe d'huile d'olive extra-vierge

2 lb (1 kg) d'oignons jaunes, tranchés très finement

½ c. à thé chacun
de sucre
de sel de mer
de poivre fraîchement moulu

1 ½ c. à thé de farine tout usage

8 tasses (64 oz liq./2 litres) de bouillon de bœuf pauvre en sel

1 tasse (8 oz liq./250 ml) de vin blanc sec

POUR LA GARNITURE

12-16 tranches de pain campagnard, d'une épaisseur de ½ po (12 mm)

2 gousses d'ail, coupées en deux sur la longueur

3 c. à soupe d'huile d'olive extra-vierge

2 tasses (8 oz/250 g) de Gruyère ou Emmenthal râpé ou bien de Comté Juraflore et de Suisse Cogruet

2 c. à soupe de beurre non salé, coupé en petits morceaux

Dans une casserole épaisse à feu moyen, faire fondre le beurre avec l'huile d'olive. Ajouter les oignons et cuire 4-5 min. Réduire le feu à doux, couvrir et cuire environ 10 min jusqu'à ce qu'ils soient dorés. Saupoudrer de sucre et de sel et augmenter le feu à moyen. Cuire 20-30 min, en remuant souvent, jusqu'à ce que les oignons soient très dorés.

Saupoudrer les oignons de farine et remuer 2-3 min pour faire un roux. Verser lentement le bouillon et 2 tasses (16 oz liq./500 ml) d'eau en remuant sans cesse. Augmenter le feu à vif et porter à ébullition. Incorporer le vin et le poivre, réduire le feu à doux, couvrir et cuire environ 45 min jusqu'à ce que les oignons commencent à se défaire.

Entre-temps, préchauffer le gril. Mettre les tranches de pain sur une plaque à pâtisserie et cuire sous le gril environ 3 min par côté, en les tournant une fois, jusqu'à ce qu'elles soient sèches sans être dorées. Frotter chaque tranche des deux côtés avec le côté coupé des gousses d'ail, puis badigeonner d'huile d'olive. Remettre sous le gril environ 2 min par côté.

Préchauffer le four à 450°F (230°C). Mettre 6-8 bols allant au four sur une plaque à pâtisserie à rebords. Verser la soupe dans les bols, garnir chacun de 2 tranches de pain grillé, puis parsemer de fromage et de beurre. Cuire au four environ 15 min jusqu'à ce que la croûte soit gratinée et que la soupe bouillonne. Servir immédiatement.

Servir avec du vin
Un rouge moyennement charnu tel que Barbera ou Côtes du Rhône

Soupe aux poireaux, aux pois chiches et au parmesan

Ne vous laissez pas tromper par la légèreté apparente de cette soupe typiquement italienne. Elle regorge de saveurs. Les pois chiches et les poireaux ajoutent consistance et texture et le parmesan donne un goût salé. Pour une soupe plus épaisse, prélevez 1 tasse (8 oz liq./250 ml) de soupe, réduisez-la en purée et retournez-la dans la marmite.

6 tasses (48 oz liq./1,5 litre) de bouillon de poulet ou de bœuf pauvre en sel

3 c. à soupe de vin blanc sec

3-4 gros poireaux, parties blanches et vert tendre seulement, en tronçons

1-1 ½ oz (30-45 g) de croûte de parmesan, de préférence Parmigiano-Reggiano

1 boîte (15 oz/470 g) de pois chiches, égouttés et rincés

sel de mer et poivre fraîchement moulu

⅓ tasse (1 ½ oz/45 g) de parmesan fraîchement râpé, de préférence Parmigiano-Reggiano, pour saupoudrer

Dans une casserole à feu vif, mélanger le bouillon et le vin et porter à ébullition. Cuire environ 2 min jusqu'à ce qu'il soit réduit de 1 à 2 c. à soupe. Ajouter les poireaux et la croûte de fromage et réduire le feu à doux. Couvrir et laisser mijoter environ 25 min jusqu'à ce que les poireaux soient translucides, que la croûte ait fondu quelque peu et que le bouillon soit parfumé.

Ajouter les pois chiches et continuer la cuisson environ 5 min jusqu'à ce qu'ils soient bien chauds. Retirer et jeter la croûte de fromage. Assaisonner de sel et de poivre au goût.

Verser la soupe dans des bols chauds et servir immédiatement. Parsemer de fromage râpé à la table.

Servir avec du vin

Un rouge italien tel que Sangiovese, Chianti ou un cépage du Piémont

Soupe aux tomates, au basilic et au fromage blanc

Le fromage blanc, un fromage frais velouté au goût aigre-doux, est traditionnellement fait à partir de lait de vache. Les Français le mangent en dessert, saupoudré de sucre, mais on peut l'utiliser comme base pour les tartinades ou l'ajouter aux jus de cuisson pour faire une sauce ou épaissir et aromatiser les soupes, comme c'est le cas ici.

4 bottes de basilic frais, environ 3 oz (45 g) au total

1 c. à soupe de beurre non salé

¼ tasse (1½ oz/45 g) d'échalotes émincées

½ lb (250 g) de pommes de terre, pelées et coupées en dés

4 tasses (32 oz liq./1 litre) de bouillon de poulet pauvre en sel

3 c. à soupe de fromage blanc, ou de Chèvre des Neiges

le jus d'un citron

sel de mer et poivre fraîchement moulu

12-15 tomates cerises, coupées en deux ou quatre

Retirer les feuilles des tiges de basilic en réservant environ 40 des plus petites pour garnir. Hacher grossièrement les feuilles restantes et réserver.

Dans une casserole, faire fondre le beurre à feu moyen. Y déposer les échalotes et faire sauter 2-3 minutes pour les faire tomber. Ajouter les pommes de terre et remuer plusieurs fois. Ajouter le basilic haché et le bouillon, réduire le feu à doux, couvrir et cuire environ 15 min jusqu'à tendreté des pommes de terre. Réduire la soupe en purée à l'aide d'un mélangeur à immersion ou dans un mélangeur ordinaire. Réchauffer la soupe jusqu'à ce qu'elle soit fumante, puis incorporer le fromage et le jus de citron. Assaisonner de sel et de poivre.

Verser la soupe dans des bols chauds et garnir du basilic réservé et des tomates. Servir immédiatement.

Servir avec du vin
Un blanc léger, fruité et acide tel que Pinot Grigio, Riesling ou Albariño

Salade de chicorées au Gouda vieilli, vinaigrette au vin rouge

Le Gouda vieilli est un fromage dense contenant des morceaux croquants de matière sèche du lait, le complément parfait aux feuilles agréablement amères de radicchio et d'endive dans cette salade d'hiver. Vous pouvez couper le Gouda en petits dés ou utiliser un couteau à éplucher pour préparer de délicats copeaux.

POUR LA VINAIGRETTE

2 c. à soupe de vinaigre balsamique

¼ tasse (2 oz liq./60 ml) de vin rouge sec tel que Merlot ou Syrah

½ c. à thé de sel de mer

¼ tasse (2 oz liq./60 ml) d'huile d'olive extra-vierge

4 endives, rouges si possible

½ radicchio, déchiré en petits morceaux

½ tasse (½ oz/15 g) de persil plat

¼ tasse (125 g) de Gouda, en copeaux ou haché grossièrement

poivre fraîchement moulu

Pour préparer la vinaigrette, dans une petite casserole à feu moyen-doux, mélanger le vinaigre et le vin et porter à ébullition lente. Cuire environ 3 min jusqu'à réduction de moitié. Réserver. Au fond d'un grand bol, à l'aide d'une fourchette, mélanger le sel, la réduction de vinaigre et de vin et l'huile d'olive. Réserver.

Couper chaque endive en deux sur la longueur et retrancher la base conique. Hacher grossièrement les feuilles, les couper en lanières sur la longueur ou les laisser entières si elles sont petites. Ajouter le radicchio, le persil et les endives au bol avec la vinaigrette et bien mélanger.

Répartir la salade entre les assiettes. Parsemer de fromage et poivrer. Servir immédiatement.

Essayer avec d'autres fromages
Un fromage piquant semi-ferme tel que Bella Lodi, Mont Gleason, Caprano vieilli ou Cantonnier

Servir avec du vin
Un blanc riche tel que Chardonnay ou Viognier ou un rouge moyennement charnu tel que Grenache ou Beaujolais

Salade de poires, fenouil, raisins de Corinthe et Crottin

Le Crottin de Chavignol se conserve pendant des semaines, devenant dur et encore plus savoureux avec le temps. Lorsqu'il est bien vieilli, je le râpe et l'ajoute à des vinaigrettes ou des salades.

2 bulbes de fenouil

1 c. à soupe de vinaigre de xérès

3 c. à soupe d'huile d'olive extra-vierge

1 Crottin de Chavignol, ou Caprano vieilli, d'environ 2 oz (60 g), râpé grossièrement

½ c. à thé de sel de mer ou cachère

¼ c. à thé de poivre blanc fraîchement moulu

1 ½ tasse (1 ½ oz/45 g) de mâche ou de jeune roquette

3 poires, coupées en deux, évidées et tranchées finement

⅓ tasse (2 oz/60 g) de raisins de Corinthe séchés

Retrancher les tiges et les feuilles du fenouil. Réserver quelques feuilles plumeuses pour garnir et jeter le reste avec les tiges. Retrancher la base. Si la pelure extérieure est durcie ou décolorée, la jeter. À l'aide d'une mandoline ou d'un couteau de chef bien aiguisé, couper chaque bulbe sur la longueur en lanières de ¼ po (6 mm).

Dans un grand bol, à l'aide d'une fourchette, mélanger le vinaigre, l'huile d'olive, 1 c. à soupe de fromage râpé, le sel et le poivre. Ajouter le fenouil et mélanger pour l'enduire de vinaigrette. Répartir la mâche entre les assiettes. Ajouter le fenouil vinaigré, puis des tranches de poire et des raisins. Parsemer du fromage restant et garnir de quelques feuilles de fenouil. Servir immédiatement.

◉

Essayer avec d'autres fromages
Cendrillon, Capriny, Chèvre des Neiges Brie Triple Crème

Servir avec du vin
Un blanc vif aux notes minérales tel que Sancerre,
Pouilly-Fumé ou Sauvignon Blanc

Salade de romaine au halloumi grillé, vinaigrette à la menthe

Le *halloumi* est un fromage provenant de l'étirement du caillé, fait d'un mélange de lait de brebis et de chèvre. Il est originaire de Chypre mais s'est répandu dans tout le Moyen-Orient. Lorsqu'on le fait griller ou frire, il retient sa structure ferme – idéale pour les hors-d'œuvre et les salades.

POUR LA VINAIGRETTE

¼ c. à thé de sel de mer, ou au goût

2 c. à soupe de vinaigre de vin rouge

3 c. à soupe d'huile d'olive extra-vierge

¼ tasse (⅓ oz/10 g) de menthe fraîche émincée

¼ c. à thé de poivre noir fraîchement moulu

¼ c. à thé de flocons de piment rouge

2 têtes de laitue romaine, coupées en quatre sur la longueur

½ lb (250 g) de *halloumi* ou de Doré-Mi, coupé en tranches de ⅓ po (9 mm)

2 c. à soupe d'huile d'olive extra-vierge

Préchauffer le gril à moyen-vif et huiler la grille.

Pour préparer la vinaigrette, dans un mélangeur, mélanger le ¼ c. à thé de sel, le vinaigre et l'huile d'olive. Incorporer la menthe, le poivre noir et les flocons de piment. Rectifier l'assaisonnement. Réserver.

Mettre les quartiers de romaine et les tranches de *halloumi* sur une plaque à pâtisserie et badigeonner d'huile d'olive. Déposer les feuilles de romaine sur le gril, côté coupé vers le bas, et griller environ 5 min jusqu'à ce qu'elles soient saisies et que le tour soit doré. Tourner et griller 3-4 min de plus jusqu'à ce que les feuilles soient presque flétries. Transférer sur un plateau, le côté coupé vers le haut. Déposer les tranches de *halloumi* sur le gril et griller environ 2 min jusqu'à ce que le tour ramollisse, que l'intérieur soit chaud et que des marques de grillade apparaissent. Tourner et griller l'autre côté 1-2 min de plus jusqu'à ce que le fromage soit légèrement doré. Ajouter le *halloumi* au plateau avec la romaine.

Verser la vinaigrette sur la salade chaude et servir immédiatement.

Essayer avec d'autres fromages
Mozzarina, Caprano ou féta Saputo

Servir avec du vin
Un rosé sec ou un vin pétillant

Salade de fenouil et de roquette au parmesan

J'ai goûté à cette salade pour la première fois près de Ravenna en Italie. Auparavant, j'avais toujours mangé le fenouil cuit. Le goût de ce légume anisé, lorsqu'on le tranche finement, est transformé par la vinaigrette à l'huile d'olive, la roquette poivrée et les copeaux de parmesan frais.

2 bulbes de fenouil

3 c. à soupe d'huile d'olive extra-vierge

1½ c. à thé de jus de citron frais, ou au besoin

1 c. à thé de vinaigre de champagne

½ c. à thé de sel de mer

½ c. à thé de poivre fraîchement moulu

4 tasses (4 oz/125 g) de feuilles de jeune roquette

un morceau de 2 oz (60 g) de parmesan, préférablement du Parmigiano-Reggiano ou du Bella Lodi

Retrancher les tiges et les feuilles plumeuses du fenouil. Réserver quelques feuilles pour garnir et jeter le reste des feuilles et les tiges. Retrancher la base de chaque bulbe. Si la pelure extérieure est durcie ou décolorée, la jeter. À l'aide d'une mandoline ou d'un couteau de chef bien aiguisé, couper chaque bulbe sur la longueur en tranches très fines. Puis, à l'aide d'un couteau, couper chaque tranche sur la longueur en plusieurs morceaux.

Dans un grand saladier, à l'aide d'une fourchette, mélanger l'huile d'olive, le jus de citron, le vinaigre, le sel et le poivre. Rectifier l'assaisonnement en ajoutant du jus de citron au besoin. Ajouter le fenouil et mélanger pour l'enduire de vinaigrette. Laisser reposer 10-15 min, puis ajouter la roquette et mélanger pour bien l'enduire de vinaigrette.

Répartir la salade entre les assiettes. À l'aide d'un couteau à éplucher, couper le fromage en tranches ou copeaux minces et le répartir entre les salades. Garnir de quelques feuilles de fenouil. Servir immédiatement.

◉

Essayer avec d'autres fromages
Grana Padano ou Caprano vieilli

Servir avec du vin
Un rouge charnu tel que Sangiovese, Chianti ou Côtes du Rhône

Salade de betteraves, roquette et ricotta salata

La roquette sauvage a un goût poivré plus intense et des feuilles plus petites et plus foncées que la roquette cultivée. Mélangée aux betteraves rôties avec une vinaigrette légère et des copeaux de ricotta salata secs et salés – une garniture exceptionnelle pour les salades et les soupes – vous obtenez un plat rustique digne de la campagne italienne.

3 betteraves de toute couleur, environ 1 lb (470 g) au total

4 c. à soupe (2 oz liq./ 60 ml) d'huile d'olive extra-vierge

2 c. à soupe de jus d'orange frais

1 c. à soupe de jus de citron frais

¼ c. à thé de moutarde de Dijon

½ c. à thé de sel de mer

¼ c. à thé de poivre blanc fraîchement moulu

2 tasses (2 oz/60 g) de roquette sauvage, les tiges dures retirées

4-5 oz (125-155 g) de ricotta salata, tranchée finement

Préchauffer le four à 350°F (180°C).

Si les feuilles des betteraves sont encore attachées, les retrancher en laissant 1 po (2,5 cm) de la queue. Frotter les betteraves avec 1 ½ c. à soupe d'huile d'olive. Mettre les betteraves dans un petit plat à rôtir et cuire au four 1-1 ¼ h, en les tournant une ou deux fois, jusqu'à ce qu'elles soient tendres lorsqu'on les pique avec une fourchette. Retirer du four et laisser refroidir. Peler, couper en tranches minces et réserver.

Dans un saladier, à l'aide d'une fourchette, mélanger les jus d'orange et de citron, les 2 ½ c. à soupe d'huile d'olive restante, la moutarde et le sel et poivre. Ajouter les tranches de betteraves et tourner délicatement pour les enrober de vinaigrette. Ajouter la roquette et mélanger de nouveau.

Répartir le mélange entre 4 assiettes. Garnir de morceaux de ricotta salata et servir immédiatement.

Essayer avec d'autres fromages
Une féta Saputo, un Etorki, ou encore un Caprano vieilli

Servir avec du vin
Un Zinfandel épicé pour le rouge ou un Riesling sec pour le blanc

Salade de courge musquée, Teleme et graines de citrouille

L'étape supplémentaire d'étuver et de rôtir la courge donne un goût caramélisé à cette salade automnale. La courge fraîchement sortie du four réchauffe les épinards et fait fondre le tour du Teleme semi-ferme, ce qui permet de marier les saveurs. Parfois, je remplace les graines de citrouilles par des noix ou des noisettes.

1 petite courge musquée d'environ 1 ½ lb (750 g)

2 c. à soupe d'huile d'olive extra-vierge, et un peu plus pour arroser

sel de mer et poivre fraîchement moulu

2 c. à thé de vinaigre balsamique blanc

1 c. à thé de vinaigre de xérès

2 c. à soupe d'huile de noix de Grenoble ou noisette

4 tasses (4 oz/125 g) de jeunes pousses d'épinards

¼ lb (125 g) de Teleme coupé en morceaux de ½ po (12 mm)

¼ tasse (1 oz/30 g) de graines de citrouille

Peler la courge. Couper en deux sur la longueur, puis évider. Couper en tranches minces ou en cubes de ½ po (12 mm). Porter de l'eau à ébullition. Disposer les morceaux de courge dans la marguerite, déposer celle-ci sur l'eau bouillante, couvrir et cuire à l'étuvée 8-10 min jusqu'à ce que la courge soit légèrement attendrie lorsqu'on la pique avec une fourchette. Retirer la courge de la marguerite et laisser refroidir.

Préchauffer le four à 400°F (200°C). Mettre les morceaux de courge sur une plaque à pâtisserie tapissée de papier parchemin. Arroser généreusement d'huile d'olive, puis saler et poivrer. Tourner pour enrober. Rôtir 10-12 min, en la tournant une fois, jusqu'à ce qu'elle soit légèrement dorée.

Dans un grand saladier, à l'aide d'une fourchette, mélanger les vinaigres, les 2 c. à soupe d'huile d'olive, l'huile de noix, la ½ c. à thé de sel et le ¼ c. à thé de poivre. Ajouter les épinards et mélanger pour les enduire d'huile.

Répartir la salade entre les assiettes. Ajouter la courge chaude, le fromage et quelques graines de citrouille. Servir immédiatement.

Essayer avec d'autres fromages
Cantonnier, Mozzarina di bufala ou Cendré Du Village crémeux

Servir avec du vin ou de la bière
Un Chardonnay, Chenin Blanc ou une bière stout

Laitue beurre au fromage de lait de brebis et aux noisettes

4-6 PORTIONS

La région des Pyrénées dans le sud-ouest de la France est connue pour ses fromages au lait de brebis dont la plupart sont vieillis, secs et salés – idéals donc pour cette délicate et savoureuse salade. J'aime utiliser l'Ossau-Iraty, un fromage crémeux à croûte acidulée, pour contraster avec le miel et les noix croquantes.

¾ tasse (4 oz/125 g)
de noisettes

1 grosse pomme ou
2 pommes moyennes
de laitue beurre

3 c. à soupe d'huile d'olive
extra-vierge

1 c. à soupe de vinaigre
balsamique blanc

1 c. à soupe de vinaigre
de champagne

2 c. à thé de miel

½ c. à thé de sel de mer

¼ lb (125 g) d'Ossau-Iraty
ou d'Etorki

Dans une poêle sèche à feu moyen-doux, griller les noisettes environ 5 min, en remuant, jusqu'à ce qu'elles dégagent un arôme. Laisser refroidir, hacher grossièrement et réserver.

Retirer les feuilles des pommes de laitue. Déchirer les feuilles plus grandes en plusieurs morceaux mais laisser les feuilles moyennes et petites entières. Cela devrait donner 4-5 tasses (4-5 oz/125-155 g).

Dans un grand saladier, mélanger l'huile d'olive, les vinaigres, le miel et le sel. Ajouter les feuilles de laitue et mélanger pour les enduire de vinaigrette. Ajouter la moitié du fromage et la moitié des noisettes et bien mélanger. Garnir du fromage et des noix restants. Servir immédiatement.

Essayer avec d'autres fromages
Un Caprano, Curado ou un Cendrillon

Servir avec du vin
Malbec, Bordeaux ou Côtes du Rhône pour le rouge ou un rosé sec et vif

Assiette de charcuteries, fromages et légumes-feuilles

Pour ce plat, je combine deux mets typiquement français, les charcuteries et le fromage. Le résultat est une variante sur la salade du chef que je sers en hors-d'œuvre. Je choisis chaque fois un nouvel assortiment de fromages locaux et de charcuteries.

3 c. à soupe d'huile d'olive extra-vierge

1 c. à soupe de vinaigre de vin rouge

¼ c. à thé de sel de mer

poivre fraîchement moulu

3 tasses (3 oz/90 g) tassées de jeunes légumes-feuilles mélangés tels que roquette sauvage ou mâche, les tiges dures retirées

½ lb (250 g) de prosciutto, jambon serrano ou coppa, tranché très finement

1-2 saucissons secs ou salamis, entiers ou tranchés finement

3 oz (90 g) de fromage de brebis tel que l'Etorki, coupé en pointes

3 oz (90 g) de de fromage de chèvre tel que Caprano Âgé, coupé en pointes

3 oz (90 g) de de fromage de vache tel que Cantonnier, coupé en pointes

Dans un grand saladier, à l'aide d'une fourchette, mélanger l'huile d'olive, le vinaigre et le sel. Assaisonner de poivre au goût. Ajouter les légumes-feuilles et mélanger délicatement.

Disposer les légumes-feuilles sur un côté d'un plateau de service. Sur le même plateau (ou sur une planche à découper ou dans une assiette), disposer les viandes et les fromages. Servir immédiatement.

Servir avec du vin
Un rouge charnu tel que Rioja ou Merlot ou un blanc velouté
tel que Grüner Veltliner ou Pinot Blanc

Juliennes de courgettes, pecorino et amandes

À l'aide d'un couteau à éplucher, le pecorino se transforme aisément en légers copeaux. Le fromage ici, avec les amandes grillées, ajoute beauté et saveur à une délicate salade de roquette, agrémentée d'une julienne de courgettes fraîches et d'une légère vinaigrette balsamique.

3 c. à soupe d'huile d'olive extra-vierge

1 c. à soupe de vinaigre balsamique

1 c. à thé de vinaigre de vin rouge

½ c. à thé de sel de mer

½ c. à thé de poivre fraîchement moulu

2 petites courgettes, d'une longueur d'environ 4 po (10 cm) et d'un diamètre de 1 po (2,5 cm)

2 tasses (2 oz/60 g) tassées de jeune roquette

2 oz (60 g) de pecorino ou de Caprano

½ tasse (2 ½ oz/75 g) d'amandes, grillées et hachées grossièrement

Dans un grand bol, à l'aide d'une fourchette, mélanger l'huile d'olive, les vinaigres, le sel et poivre. Réserver.

À l'aide d'une mandoline, couper la courgette en julienne. Éponger avec du papier essuie-tout (une humidité excessive peut diluer la vinaigrette).

Mélanger la roquette et la courgette dans un grand saladier avec la vinaigrette. Répartir la salade entre les assiettes. À l'aide d'un couteau à éplucher, trancher le pecorino en copeaux et l'ajouter aux salades. Parsemer d'amandes et servir immédiatement.

◎

Essayer avec d'autres fromages
Parmigiano-Reggiano, Bella Lodi ou un Cendrillon

Servir avec du vin
Un vif Sauvignon Blanc néo-zélandais ou un rouge léger tel que Beaujolais

Pastèque, féta et menthe en salade

Lorsque je sers cette salade simple ou ses variantes, il n'y a jamais de restes ; même les enfants en raffolent. Je fais pousser quelques plants de pastèque chaque année, surtout les petites variétés rouges ou jaunes sans pépins. Ici, la féta acidulée, le jus de lime et la menthe fraîche rehaussent la saveur du fruit.

1 pastèque sans pépins de 2-4 lb (1-2 kg)

¼ tasse (1/3 oz/10 g) de menthe fraîche hachée, plus quelques petites feuilles pour garnir

le jus de 4 limes (environ ½ tasse/4 oz liq./125 ml)

¼ lb (125 g) de féta émiettée

zeste de lime pour garnir

Couper la pastèque en deux, puis en 2 ou 3 pointes. Retirer l'écorce, puis couper la chair en pointes, en tranches ou en cubes de 1 po (2,5 cm). Mettre la pastèque dans un bol, parsemer de menthe hachée, puis verser le jus de lime par-dessus. Mélanger pour enrober la pastèque de jus de lime. Ajouter la moitié du fromage et mélanger de nouveau.

Transférer sur un plateau de service ou dans des assiettes ou bols. Garnir de la féta restante, des feuilles de menthe et du zeste de lime et servir immédiatement.

— ◉ —

Essayer avec d'autres fromages
Un Capriny, ou une féta Saputo

Servir avec du vin ou de la bière
Un Beaujolais intensément fruité, un Fumé Blanc sec ou une bière pils

Salade Waldorf au bleu

De nos jours, on trouve une grande sélection de fromages bleus domestiques et importés de diverses textures et saveurs. Pour cette salade, variante moderne d'un vieux classique, j'aime utiliser un bleu sec et friable tel qu'un Cabrales ou Valdeon, mais un Gorgonzola crémeux peut aussi faire l'affaire.

3 c. à soupe d'huile d'olive extra-vierge

2 c. à thé de vinaigre de champagne ou de vin blanc

3 oz (90 g) de fromage bleu tels qu'un Roche Noire, un Roquefort Papillon ou un Bleubry

2 c. à soupe d'échalotes émincées

¼ c. à thé de poivre fraîchement moulu

6 endives blanches ou rouges

2 pommes mi-sucrées mi-acidulées telles que Gala, Honeycrisp ou Fuji, coupées en deux, évidées et tranchées très finement

½ tasse (2 oz/60 g) de noix de Grenoble hachées, grillées (page 40)

2 c. à soupe de ciboulette coupée (longueurs de ¾ po/2 cm)

Dans un grand bol, mélanger l'huile d'olive avec le vinaigre et un tiers du fromage. À l'aide d'une fourchette, écraser le fromage pour faire une vinaigrette. Incorporer les échalotes et le poivre. Réserver.

Les endives peuvent être coupées en quatre, tranchées ou hachées. Pour les couper en quartiers, retrancher une bonne partie de la base conique en en laissant juste assez pour tenir l'endive ensemble, puis couper sur la longueur en quartiers. Sinon, retrancher toute la base et trancher ou hacher finement.

Dans un grand saladier, mélanger délicatement les endives et les pommes. Répartir entre les assiettes. Émietter les deux tiers du fromage restant par-dessus, puis verser la vinaigrette. Parsemer de noix et de ciboulette. Servir immédiatement.

Servir avec du vin
Un vin pétillant tel que prosecco ou *cava*, un Sauvignon Blanc, Chenin Blanc ou rosé sec

Plats principaux

J'ajoute régulièrement du fromage à de nombreux
plats que je prépare : pâtes, enchiladas et poulet
rôti, pour ne nommer que ceux-là. En fondant et en
s'amalgamant aux autres ingrédients, le fromage ajoute
une plénitude de saveurs et de complexité.
J'aime également varier mes plats préférés en changeant
le fromage, en remplaçant un Gorgonzola velouté par
un cheddar vieilli dans un macaroni au fromage, ou un
Fontina au goût de noisette dans un risotto crémeux
par un Taleggio légèrement âcre.

Fondue au fromage

Je suis ravie de voir que la fondue au fromage est redevenue à la mode. Accompagnée d'une simple salade verte et d'un vin blanc vif, la fondue devient un repas d'hiver convivial. Ici, la combinaison de l'emmental piquant et du gruyère au goût plus prononcé donne une fondue riche et savoureuse.

6 gousses d'ail

2 tasses (16 oz liq./500 ml) de vin blanc sec tel que Sauvignon Blanc

1 ¾ lb (875 g) de gruyère ou de Comté de Juraflore, râpé

¾ lb (375 g) d'emmental ou de Kingsberg, râpé

2 c. à soupe de kirsch

1 c. à thé de muscade fraîchement râpée

½ c. à thé de poivre blanc fraîchement moulu

1 ½ baguettes d'hier, ou l'équivalent de pain artisanal aux noix, aux herbes ou aux grains entiers, coupée en cubes de ½ po (12 mm)

Si un caquelon en céramique est utilisé, chauffer le four à 250°F (120°C) et mettre celui-ci au four. Si un caquelon en métal est utilisé, omettre cette étape. Remplir le brûleur d'essence à fondue.

Écraser l'ail avec un presse-ail ou râper, et mettre dans une grande casserole à fond épais ou directement dans le caquelon en métal. Ajouter le vin et mettre sur un feu vif. Après environ 2 min, dès que des bulles se forment sur les parois, réduire le feu à moyen-doux et ajouter les fromages, de petites quantités à la fois, en remuant avec une cuillère en bois. Continuer la cuisson en remuant sans cesse jusqu'à ce que le fromage fonde complètement pour faire une masse crémeuse et lisse. Incorporer le kirsch, la muscade et le poivre.

Pour servir, allumer le brûleur et le mettre sur la table. Verser la préparation chaude de la casserole dans le caquelon en céramique chaud ou transférer le caquelon en métal directement sur le brûleur. Distribuer les fourchettes à fondue et passer les cubes de pain.

Essayer avec d'autres fromages
Utilisez une quantité équivalente de Vacherin Du Village râpé pour remplacer le Comté. Utilisez une quantité équivalente d'un bleu léger et doux comme le Bleubry ou le Bleu de Bresse de la raclette ou un triple crème tel que St-Honoré pour remplacer le Kingsberg

Servir avec du vin
Pinot Grigio, Sauvignon Blanc ou Gewürztraminer alsacien pour le blanc, Brunello, Pinot Noir ou Bourgogne pour le rouge

Risotto au radicchio, Taleggio et vin rouge

Dans ce risotto raffiné, le radicchio saisi, légèrement amer, est équilibré par l'onctueux Taleggio, un fromage au lait de vache à croûte lavée avec un arôme prononcé, mais au goût léger. Il fond rapidement, ce qui en fait un bon choix pour incorporer dans les risottos et les polentas. Incorporez le fromage délicatement en remuant juste avant de servir.

1 c. à soupe d'huile d'olive extra-vierge

2 tasses (6 oz/185 g) de radicchio râpé (environ 1 laitue)

2 tasses (16 oz liq./500 ml) de bouillon de poulet pauvre en sel

2 tasses (16 oz liq./500 ml) de bouillon de bœuf pauvre en sel

2 c. à soupe de beurre non salé

½ oignon jaune, haché finement

2 tasses (14 oz/440 g) de riz arborio

2 tasses (16 oz liq./500 ml) de vin rouge sec tel que Pinot Noir ou Merlot

6 oz (185 g) de Taleggio, sans la croûte, coupé en petits morceaux ou de Bella Lodi

sel de mer et poivre fraîchement moulu

⅓ tasse (1 ½ oz/45 g) de noix de Grenoble, grillées et hachées (facultatif)

persil plat haché, pour garnir (facultatif)

Dans une poêle à feu moyen-vif, faire chauffer l'huile d'olive. Ajouter le radicchio et faire revenir environ 4 min, en remuant souvent, jusqu'à ce que les bords soient dorées. Transférer sur du papier essuie-tout pour égoutter. Dans une casserole à feu moyen, mélanger les bouillons et porter à ébullition lente. Réduire le feu pour laisser mijoter doucement.

Dans une autre casserole à feu moyen-vif, faire fondre 1 c. à soupe de beurre. Lorsqu'il mousse, ajouter l'oignon et cuire environ 2 min. Ajouter le riz et remuer environ 2 min jusqu'à ce qu'il devienne opaque. Ajouter le vin, un peu à la fois, et cuire 5-6 min, en remuant sans cesse, jusqu'à ce qu'il soit presque tout absorbé. Réduire le feu à moyen, verser une louche de bouillon chaud et cuire, en remuant sans cesse, jusqu'à ce qu'il soit presque tout absorbé. Continuer d'ajouter du bouillon, une louche à la fois, en remuant sans cesse, et cuire environ 20 min jusqu'à ce que le riz soit tendre et crémeux mais encore ferme en son centre.

Incorporer le radicchio, la c. à soupe de beurre restant ainsi que le fromage et assaisonner de sel et de poivre. Verser dans des bols chauds, garnir de noix et de persil, si désiré, et servir immédiatement.

Servir avec du vin
Un rouge moyennement charnu tel que Chianti, Sangiovese ou Sagrantino

Raclette

Ma première dégustation de raclette a eu lieu dans un chalet des Alpes françaises devant un feu de foyer. On a déposé le fromage près du feu et à mesure qu'il fondait, on se servait à tour de rôle, en raclant le fromage chaud sur nos pommes de terre bouillies et en sirotant un vin de pays. C'était simple, mais inoubliable.

12 pommes de terre petites à moyennes telles que Yukon Gold, Yellow Finn ou White Rose

1 c. à thé de sel de mer

1-1 ½ lb (500-750 g) de fromage Raclette Du Village

cornichons, pour servir

pain campagnard à texture grossière, tranché finement, pour servir

poivre fraîchement moulu

Dans une grande casserole à feu moyen-vif, ajouter les pommes de terre, le sel et assez d'eau pour couvrir. Porter à ébullition, réduire le feu à moyen et cuire 20-25 min, à découvert, jusqu'à ce que les pommes de terre soient tendres lorsqu'on les pique avec un couteau aiguisé. Égoutter, couvrir et tenir au chaud.

Préchauffer le four à 400°F (200°C). Couper la raclette en tranches de ½ po (12 mm) et retirer la croûte. Disposer les tranches dans 4 assiettes individuelles allant au four. Mettre les assiettes au four et cuire 5-7 min jusqu'à ce que le fromage soit fondu.

Entre-temps, transférer les pommes de terre dans un bol de service et disposer les cornichons et les tranches de pain sur un plateau. Retirer les assiettes de fromage du four, saupoudrer de poivre et servir immédiatement, avec les pommes de terre, les cornichons et le pain pour tremper.

Servir avec du vin
Un blanc riche tel que Chardonnay non élevé en fûts de chêne,
Grüner Veltliner, Viognier, Vouvray ou Bourgogne Blanc

Penne aux courgettes grillées et aux oignons avec ricotta salata

4-6 PORTIONS

Lorsque les premières courgettes de l'été arrivent dans mon potager, je les fais cuire de toutes les façons imaginables. La ricotta salata dans ce plat de pâtes est le pendant parfait à la douceur des oignons caramélisés et au goût rôti des courgettes.

2 courgettes, coupées en tranches de ¼ po (6 mm)

4 c. à soupe (2 oz liq./60 ml) d'huile d'olive extra-vierge

1 c. à soupe d'origan frais haché

sel de mer et poivre fraîchement moulu

1 c. à soupe de beurre non salé

1 oignon jaune, coupé en deux et tranché finement sur la largeur

¾ lb (375 g) de penne ou autres petites pâtes

¼ lb (125 g) de ricotta salata, tranchée en copeaux avec un couteau à éplucher ou féta aux tomates séchées

Dans un bol, mélanger les courgettes, 1 c. à soupe d'huile d'olive, l'origan, ½ c. à thé de sel et du poivre au goût. Réserver.

Préchauffer le gril à température moyenne-élevée et huiler la grille. Disposer les courgettes dans un panier à griller et cuire 10-12 min, en les tournant à plusieurs reprises, jusqu'à ce qu'elles soient dorées de tous côtés. Réserver.

Dans une poêle à feu moyen-vif, faire fondre le beurre avec 1 c. à soupe d'huile d'olive. Lorsque le beurre mousse, ajouter l'oignon et réduire le feu à moyen. Saler et cuire 15-20 min, en remuant à l'occasion, jusqu'à ce que l'oignon soit de couleur acajou. Tenir au chaud.

Porter une grande marmite d'eau salée à ébullition. Ajouter les penne, remuer et cuire selon les indications de l'emballage pour une cuisson *al dente*.

Égoutter les pâtes et transférer dans un bol de service chaud. Ajouter l'oignon et les jus de cuisson, les courgettes grillées, les 2 c. à soupe d'huile d'olive restante et la moitié du fromage. Bien mélanger. Parsemer du fromage restant et servir immédiatement.

Servir avec du vin
Un blanc léger et fruité tel que Pinot Grigio, Albariño ou Sauvignon Blanc

Macaroni aux deux fromages et au bacon

Voici une version adulte de ce classique pour enfants. Les deux cheddars aux affinages inégaux confèrent à ce plat de pâtes consistant, une richesse qui est contrebalancée par l'ajout de bacon fumé bien salé. Une garniture de chapelure grossière grillée forme une croûte croustillante.

4 c. à soupe (2 oz/60 g) de beurre non salé, et un peu plus pour graisser

4 tranches de baguette ou autre pain croûté, sans la croûte, déchiquetées pour faire une chapelure

4 tranches de bacon épais, coupé sur la largeur en lardons de ½ po (12 mm)

¼ tasse (1½ oz/45 g) de farine

sel et poivre noir fraîchement moulu

¼ c. à thé de poivre de Cayenne

3 tasses (24 oz liq./750 ml) de lait entier, chauffé

½ lb (250 g) de fromage fermier ou de Cheddar Caron 5 ans, râpé

¼ lb (125 g) de cheddar blanc ou de Cheddar Caron 3 ans, râpé grossièrement

½ lb (250 g) de macaronis

Beurrer un plat de cuisson peu profond de 1 ½ pinte (48 oz liq./1,5 litre). Dans une petite poêle à feu moyen-vif, faire revenir le bacon 3-5 min jusqu'à ce qu'il soit cuit sans être croustillant. Égoutter sur du papier essuie-tout. Dans une casserole à feu moyen-vif, faire fondre les 3 c. à soupe de beurre restant. Lorsque le beurre mousse, incorporer la farine, ½ c. à thé de sel, ¼ c. à thé de poivre noir et le poivre de Cayenne en fouettant jusqu'à formation d'une pâte. Incorporer doucement le lait chaud en fouettant, réduire le feu à moyen et cuire environ 15 min, en fouettant sans cesse, jusqu'à épaississement. Ajouter trois quarts du Cheddar Caron 5 ans et la moitié du Cheddar Caron 3 ans et remuer 1-2 min jusqu'à ce qu'ils soient fondus. Retirer du feu.

Préchauffer le four à 375°F (190°C). Porter une grande marmite d'eau salée à ébullition à feu vif. Ajouter les macaronis, bien remuer et cuire selon les indications de l'emballage pour une cuisson *al dente*. Égoutter, ajouter au plat de cuisson préparé et mélanger avec le bacon. Verser la sauce au fromage par-dessus et mélanger à fond. Garnir du fromage restant, puis de la chapelure. Cuire au four environ 30 min jusqu'à ce que la sauce bouillonne et que la croûte soit dorée. Laisser reposer quelques minutes avant de servir.

Servir avec du vin
Un rouge charnu tel que Merlot, Zinfandel ou Syrah

Agnolinis au chèvre, aux pois et aux herbes avec ricotta

Les agnolinis, tout comme les raviolis, sont des pâtes fourrées. Pour faire ces demi-lunes, on découpe des ronds dans la pâte, puis on les plie en deux pour faire une pochette – idéale pour le fromage. La ricotta est la farce traditionnelle mais le chèvre ajoute une pointe acidulée qui se marie bien aux petits pois et aux fines herbes. Servez avec un vin blanc vif.

POUR LA FARCE

1 ½ c. à thé d'huile d'olive

1 c. à soupe d'oignon finement haché

¼ tasse (1 ½ oz/45 g) de petits pois surgelés

¼ tasse (2 oz/60 g) de ricotta fraîche ou de Ricotta Saputo

3 oz (90 g) de fromage de chèvre ramolli ou de Capriny

1 œuf

2 c. à soupe de ciboulette ciselée

1 c. à soupe de menthe fraîche hachée, plus quelques feuilles pour garnir (facultatif)

½ c. à thé de sel de mer

farine tout usage

12 oz (375 g) de feuilles de pâtes fraîches du commerce

½ tasse (4 oz/125 g) de beurre non salé, fondu

½ tasse (4 oz/125 g) de parmesan ou de Bella Lodi

environ ½ tasse (2 ½ oz/ 75 g) de petits pois surgelés, bouillis jusqu'à tendreté (facultatif)

cerfeuil frais, pour garnir

Pour préparer la farce, dans une petite poêle à feu moyen-vif, faire chauffer l'huile d'olive. Ajouter l'oignon et les pois, réduire le feu à doux et cuire environ 5 min, en remuant, jusqu'à ce que l'oignon soit translucide et que les pois soient tendres mais encore vert vif. Transférer dans un mélangeur ou robot culinaire, ajouter la ricotta, le chèvre, l'œuf, la ciboulette, la menthe et le sel et actionner pour tout juste mélanger. Transférer dans un bol, couvrir et réfrigérer jusqu'à l'utilisation.

Sur une surface légèrement farinée, déplier les feuilles de pâte. À l'aide d'un emporte-pièce de 3 po (7,5 cm), découper 36 ronds dans la pâte.

Mettre une cuillère à thé comble de farce sur une moitié de chaque rond. Badigeonner le contour d'eau. Plier en deux, puis sceller le contour avec les doigts.

Saupoudrer une plaque à pâtisserie de farine et y déposer les agnolinis. (Ceux-ci peuvent être préparés jusqu'à 2 h à l'avance. Laisser sur la plaque, fariner légèrement et couvrir avec un linge propre.)

Porter une grande marmite d'eau salée à ébullition. En procédant en plusieurs fois, laisser glisser les agnolinis dans l'eau sans les tasser. Réduire le feu à moyen et cuire environ 6 min jusqu'à ce qu'ils soient tendres sous la dent. À l'aide d'une cuillère à égoutter, transférer les agnolinis sur un plateau chaud. Répéter pour cuire tous les agnolinis. Transférer dans un bol chaud peu profond ou des assiettes individuelles et verser le beurre uniformément par-dessus. Saupoudrer de fromage et parsemer de pois, de menthe, si désiré, et de cerfeuil. Servir immédiatement.

Raviolis à la courge et au parmesan

La courge, le parmesan et la sauce forment un trio magique dans ce plat italien classique. La préparation est longue mais le résultat vaut largement l'effort consenti. Il est essentiel de bien assécher la courge et d'éliminer toute trace de liquide ; sinon, la farce va suinter par les bords des raviolis.

POUR LA FARCE

1 courge musquée de 2-2 ½ lb (1-1,25 kg)

1 c. à thé d'huile d'olive extra-vierge

1 gros œuf, légèrement battu

½ tasse (2 oz/60 g) de parmesan ou de Bella Lodi fraîchement râpé

1 c. à thé de sel de mer

½ c. à thé de cannelle moulue

½ c. à thé de clou de girofle moulu

½ c. à thé de poivre fraîchement moulu

farine tout usage pour saupoudrer

12 oz (375 g) de feuilles de pâtes du commerce

2 c. à soupe d'huile d'olive extra-vierge

24 feuilles de sauge fraîche

1 c. à soupe de jus de citron frais

½ tasse (4 oz/125 g) de beurre non salé, fondu

Préchauffer le four à 375°F (190°C). Couper la courge en deux sur la longueur, puis évider. Frotter les côtés coupés d'huile d'olive, mettre les moitiés sur une plaque à pâtisserie à rebords et cuire au four 1-1 ½ h jusqu'à ce que la chair soit tendre lorsqu'on la pique avec un couteau. Laisser refroidir, évider la chair et écraser avec une fourchette. Si la chair est coulante, faire cuire 3-5 min à feu moyen-vif et pour l'assécher, puis la laisser refroidir. Incorporer l'œuf, le fromage, le sel, la cannelle, le clou de girofle et le poivre et bien mélanger. Recouvrir et réfrigérer jusqu'à l'utilisation.

Sur une surface légèrement farinée, déplier les feuilles de pâte, marquer le centre, puis déplier. Déposer des cuillérées à thé de farce en rang au centre le long d'un côté du pli, en les espaçant de 1 ½ po (4 cm). Tremper un pinceau dans de l'eau et badigeonner légèrement le tour de la farce. Plier la pâte sur la farce. Mouler la pâte autour de la farce à l'aide des doigts pour éliminer les bulles d'air. Presser les bords pour sceller. À l'aide d'une roulette à pâtisserie dentelée, découper autour de la bande farcie en pinçant les bords et en retranchant environ ⅛ po (3 mm). Puis, découper également entre les monticules pour faire des raviolis. Mettre les raviolis en une couche sur une plaque à pâtisserie légèrement farinée.

Porter à ébullition une grande marmite d'eau salée. Par petites quantités, laisser glisser les raviolis dans l'eau sans les tasser. Réduire le feu à moyen et cuire 6-8 min jusqu'à tendreté. À l'aide d'une cuillère à égoutter, transférer les raviolis sur un plateau et tenir au chaud.

Entre-temps, dans une poêle à feu moyen-vif, faire chauffer l'huile. Ajouter la sauge et cuire 1 min jusqu'à ce qu'elle soit croustillante. Égoutter. Incorporer le jus de citron dans le beurre fondu et verser sur les raviolis. Garnir de feuilles de sauge frites et servir immédiatement.

Lasagne aux épinards et aux trois fromages

J'aime les lasagnes blanches comme celle-ci, où la délicate sauce béchamel et les fromages sont à l'avant-plan. Le mélange de ricotta douce, de mozzarella ferme et de pecorino au goût plus prononcé donne une texture intéressante et une riche saveur à ce plat.

sel de mer

2 lb (1 kg) d'épinards frais, les tiges dures retirées

1 lb (500 g) de Ricotta Saputo

¼ tasse (1 ½ oz/45 g) d'échalotes émincées

2 c. à soupe de feuilles de thym frais

1 gros œuf

4 c. à soupe (2 oz/60 g) de beurre non salé

¼ tasse (1 ½ oz/45 g) de farine tout usage

¼ c. à thé de noix de muscade fraîchement râpée

⅛ c. à thé de poivre de Cayenne

3 tasses (24 oz liq./750 ml) de lait, chauffé

1 boîte (7 oz/220 g) de nouilles à lasagne précuites (16 nouilles)

6 oz (185 g) de pecorino ou de Romano râpé Saputo

10 oz (315 g) de mozzarella ou de Mozzarina, tranchée finement

Porter une grande marmite d'eau salée à ébullition à feu moyen-vif. Ajouter 1 c. à thé de sel et les épinards. Cuire 4-6 min jusqu'à ce que les épinards soient flétris et tendres mais encore vert vif. Égoutter et rincer à l'eau courante froide pour arrêter la cuisson. Essorer pour retirer le plus d'eau possible et hacher grossièrement. Essorer de nouveau et réserver.

Dans un bol, mélanger la ricotta, les échalotes, le thym, l'œuf et ½ c. à thé de sel. Réserver. Dans une casserole à feu moyen, faire fondre le beurre. Lorsqu'il mousse, incorporer la farine, ½ c. à thé de sel, la muscade et le poivre de Cayenne en fouettant jusqu'à formation d'une pâte. Incorporer doucement le lait chaud, réduire le feu à moyen-doux et cuire environ 15 min, en fouettant souvent, jusqu'à épaississement de la sauce. Retirer du feu.

Préchauffer le four à 375°F (190°C). Verser une mince couche de sauce au fond d'un plat de cuisson de 9 x 13 po (23 x 33 cm). Ajouter 4 nouilles pour faire une seule couche. Ajouter un tiers des épinards, une mince couche de sauce, un tiers de la ricotta, un tiers du Romano et un quart de la Mozzarina. Répéter les couches deux fois, puis terminer par les 4 nouilles restantes. Verser la sauce restante par-dessus, en glissant un couteau le long des parois pour faire pénétrer la sauce au fond du plat. Garnir de la mozzarella restante. Cuire au four environ 45 min jusqu'à ce que la sauce soit bouillonnante, le dessus gratiné et les pâtes tendres sous la dent. Laisser reposer 10 min avant de servir. Couper en carrés et servir immédiatement.

Pâtes d'orzo aux crevettes, à la féta et au basilic

6-8 PORTIONS

Dans la cuisine méditerranéenne, la féta est souvent combinée aux crevettes, les deux saveurs salées et crémeuses font un heureux mariage. Ici, j'ajoute la féta émiettée à la fin de la cuisson pour absorber les jus de cuisson des crevettes sautées.

1 lb (500 g) de crevettes moyennes, décortiquées et déveinées

¼ tasse (2 oz liq./60 ml) plus 2 c. à soupe d'huile d'olive extra-vierge

½ c. à thé de paprika doux espagnol

¼ c. à thé de flocons de piment fort

sel de mer

3 tasses (21 oz/655 g) d'orzo

½ tasse (½ oz/15 g) tassée de feuilles de basilic frais, ciselées, plus 4-6 feuilles entières

¼ lb (125 g) de féta, émiettée

Dans un bol, mélanger les crevettes, ¼ tasse d'huile d'olive, le paprika, les flocons de piment fort et ½ c. à thé de sel. Couvrir et réserver 1-2 h.

Porter une grande marmite d'eau salée à ébullition à feu vif. Ajouter l'orzo, bien mélanger et cuire selon les indications de l'emballage pour une cuisson *al dente*.

Entre-temps, dans une grande poêle à feu moyen-vif, faire chauffer 2 c. à soupe d'huile d'olive. Égoutter les crevettes, jeter la marinade et ajouter à la poêle. Cuire les crevettes 1-2 min, en les tournant une fois, jusqu'à ce qu'elles soient opaques. Transférer les crevettes avec les jus de cuisson dans une assiette, couvrir et tenir au chaud.

Lorsque l'orzo est prêt, égoutter et transférer dans un bol de service chaud. Ajouter les crevettes et leur jus et mélanger plusieurs fois. Ajouter le basilic ciselé et le fromage et mélanger délicatement de nouveau. Garnir de feuilles de basilic et servir immédiatement.

Essayer avec d'autres fromages
Caprano ou Chèvre des Neiges

Servir avec du vin
Un blanc vif aux notes d'agrumes tel que Vermentino, Albariño ou Sauvignon Blanc

Frittata de bette à carde, d'olives vertes et de Fontina

6-8 PORTIONS

Le Fontina, ce fromage d'origine italienne fait de lait de vache a un délicat goût du terroir et une texture semi-ferme. Il fond merveilleusement bien, ce qui en fait un bon choix pour les plats aux œufs et les sandwichs au fromage fondu. Dans cette frittata végétarienne, le fromage se marie harmonieusement aux olives salées et aux feuilles tendres.

1 botte de bette à carde, environ 1 ½ lb (750 g), les tiges dures enlevées

6 gros œufs

2 c. à soupe de crème 11,5 % M.G.

⅓ tasse (1 ½ oz/45 g) de Fontina ou de Caciocavallo râpé

¼ tasse (1 ½ oz/45 g) d'olives vertes dénoyautées, hachées grossièrement

¾ c. à thé de sel de mer

½ c. à thé de poivre fraîchement moulu

2 c. à soupe de beurre non salé

1 c. à soupe d'huile d'olive extra-vierge

2 c. à soupe d'oignon jaune haché finement

1 gousse d'ail, émincée

¼ tasse (⅓ oz/10 g) de persil plat haché

1 c. à thé de thym frais haché

Porter une grande marmite d'eau à ébullition à feu vif. Ajouter les feuilles de bette à carde et réduire le feu à moyen. Cuire 12-15 min jusqu'à ce qu'elles soient tendres et que les nervures soient faciles à piquer avec une fourchette. Rincer à l'eau courante froide, essorer et hacher finement. Essorer de nouveau.

Dans un grand bol, battre les œufs, la crème, le fromage, les olives, le sel et le poivre pour tout juste les mélanger. Incorporer la bette à carde. Dans une grande poêle antiadhésive à feu moyen-vif, faire fondre le beurre avec l'huile d'olive. Ajouter l'oignon et cuire 2-3 min. Ajouter l'ail et cuire 1 min de plus. Verser le mélange aux œufs et réduire le feu à doux. Lorsque les œufs commencent à prendre, soulever les bords avec une spatule pour les faire couler en dessous. Cuire 4-5 min jusqu'à ce que la frittata soit ferme sur les bords et presque prise sur le dessus. Renverser le contenu de la poêle dans une assiette plate. Remettre la poêle sur le feu et parsemer de la moitié du persil et du thym. Faire glisser la frittata dans la poêle, le côté doré vers le haut, et cuire 1-2 min de plus jusqu'à ce que l'autre côté soit légèrement doré. Retirer du feu et renverser la frittata de nouveau dans l'assiette. Parsemer des fines herbes restantes, couper en pointes et servir chaude ou tiède.

Servir avec du vin
Un blanc riche tel que Sémillon ou Chenin Blanc ou un rouge léger tel que Dolcetto d'Alba ou Grenache

Napoléons de légumes d'été

À l'instar des tomates fraîches du jardin, les légumes d'été grillés font un mariage exceptionnel avec la mozzarella di Bufala et le basilic. L'aubergine et les poivrons sont à l'honneur ici, mais on peut également utiliser des courgettes ou une courge d'été. Cette empilade colorée peut également être servie en amuse-gueule.

4 petites aubergines, coupées en trois sur la longueur

2 poivrons rouges, épépinés et coupés en quartiers sur la longueur

¼ tasse (2 oz liq./60 ml) d'huile d'olive extra-vierge, et un peu plus pour arroser

2 c. à soupe de vinaigre balsamique

1 c. à thé de sel de mer, et un peu plus pour saupoudrer

½ c. à thé de poivre fraîchement moulu, et un peu plus pour saupoudrer

8 grosses tranches de tomate patrimoniale

2-3 boules de mozzarella di Bufala fraîche, de préférence, coupées en 8 tranches

une poignée de feuilles de basilic déchiquetées

Mettre les tranches d'aubergine et les quartiers de poivron dans un bol et ajouter l'huile d'olive, le vinaigre, le sel et le poivre. Mélanger, puis laisser reposer 30-60 min, en mélangeant de nouveau une ou deux fois. Entre-temps, préchauffer le gril à température moyenne-élevée et huiler la grille.

Disposer les tranches d'aubergine et de poivron directement sur la grille ou en une couche dans un panier à griller. Cuire 6-7 min pour l'aubergine et environ 4 min pour le poivron jusqu'à ce que les légumes soient légèrement noircis. Tourner et cuire pour dorer et griller l'autre côté. Le temps de cuisson sera à peu près le même. Transférer les tranches d'aubergine sur un plateau. Mettre les poivrons dans un sac plastique refermable, sceller et laisser refroidir. Lorsqu'ils sont assez refroidis pour être manipulés, peler la peau noircie avec les doigts.

Pour assembler chaque napoléon, mettre une tranche de tomate sur chaque assiette, puis empiler les autres ingrédients dans l'ordre suivant : fromage, aubergine, poivron, tomate, fromage, aubergine, poivron et aubergine, puis assaisonner les couches de sel et de poivre. Arroser d'huile d'olive et garnir de feuilles de basilic. Servir immédiatement.

Essayer avec d'autres fromages
Féta Saputo, Mozzarina ou Doré-Mi grillé

Servir avec du vin
Un blanc vif et acide tel que Muscadet, Soave ou Pinto Bianco ou un Tempranillo pour le rouge

Enchiladas au fromage

J'ai appris à préparer des enchiladas à l'âge de onze ans et je fais toujours ma propre sauce à base de piments ancho. À mon avis, plus il y a de fromage, mieux c'est. Le Cotija, un fromage mexicain dur et friable, mélangé à du Jack ou du cheddar, donne les meilleurs résultats.

2 tasses (16 oz liq./500 ml) de bouillon de bœuf pauvre en sel, bouillant

5 piments ancho

huile de maïs ou canola, pour frire

¾ tasse (3 oz/90 g) d'oignon blanc haché

4 gousses d'ail, émincées

1 boîte (28 oz/875 g) de tomates entières, avec le jus

2 c. à thé d'origan frais haché

½ c. à thé de cumin moulu et de piment chipotle en poudre

sel de mer

12 tortillas de maïs de 8 po (20 cm)

3 tasses (12 oz/375 g) de Monterey Jack ou cheddar doux, ou encore de Cogruet ou Cheddar Caron 3 ans, râpé

6 oignons verts, émincés

¾ lb (375 g) de fromage Cojita ou Caciocavallo fumé râpé, émietté

⅓ tasse (2 oz/60 g) d'olives tranchées (facultatif)

Dans un bol thermorésistant, mélanger le bouillon chaud et les piments et laisser reposer 8-10 min jusqu'à ce que les piments soient tendres. Égoutter et réserver le bouillon. Épépiner les piments et hacher grossièrement.

Dans une poêle à feu moyen-vif, faire chauffer 2 c. à soupe d'huile. Ajouter l'oignon et cuire 2-3 min jusqu'à ce qu'il soit translucide. Ajouter l'ail et cuire 1 min. Transférer le mélange dans un mélangeur, ajouter les tomates et le jus, les piments hachés, l'origan et le cumin et réduire en une purée lisse. Retourner le mélange à la poêle à feu moyen et cuire environ 2 min, en remuant, jusqu'à ce qu'il épaississe et bouillonne. Incorporer les piments chipotle et 1 tasse (8 oz liq./250 ml) du bouillon réservé et assaisonner de sel. Cuire 1-2 min puis rectifier l'assaisonnement. Continuer la cuisson environ 10 min, en remuant à l'occasion, jusqu'à ce que le mélange soit épaissi mais coulant. Retirer du feu et verser une mince couche dans le fond d'un plat de cuisson de 8 x 12 po (20 x 30 cm).

Préchauffer le four à 375°F (190°C). Verser une mince couche d'huile dans une poêle sur un feu moyen. Ajouter une tortilla et faire chauffer quelques secondes pour la ramollir. À l'aide d'une pince, transférer la tortilla dans un plat de cuisson. Parsemer d'environ 2 c. à soupe de Cogruet et quelques oignons verts le long du centre, puis enrouler et mettre à une extrémité du plat de cuisson, le joint vers le bas. Répéter pour farcir toutes les tortillas, puis verser la sauce restante par-dessus pour les recouvrir complètement. Terminer en ajoutant le fromage restant. Cuire au four environ 25 min jusqu'à ce que le fromage soit fondu et que les tortillas aient absorbé la sauce. Retirer du four, garnir de fromage Cotija et d'olives, si désiré. Servir immédiatement.

Sandwich grillé au jambon serrano et au fromage Manchego

Je n'ai jamais mangé un sandwich jambon-fromage qui n'était pas à la hauteur mais cette variante à saveur des Pyrénées est exceptionnelle. On y trouve le mélange classique de Manchego et de *membrillo*, (gelée ou pâte sucrée à base de coing).

8 tranches de pain ciabatta, de pain blanc croûté ou de pain de grain entier

4 c. à soupe (2 oz/60 g) de beurre non salé, à température de la pièce

5-6 oz (155-185 g) de Manchego ou d'Etorki, tranché finement

¼ lb (125 g) de jambon serrano tranché finement (8 tranches)

¼ lb (125 g) de *membrillo* (voir note), coupée en 4 tranches minces

Étendre un peu de beurre sur un côté de chaque tranche de pain. Mettre 4 tranches sur une surface de travail, côté beurré vers le haut. Ajouter l'Etorki pour recouvrir le pain complètement. Mettre 2 tranches de jambon sur chaque sandwich, puis 1 tranche de *membrillo*. Terminer avec les tranches de pain, côté beurré vers le haut.

Dans une grande poêle à feu moyen-vif, déposer les sandwichs, côté beurré vers le bas, puis étendre du beurre sur les dessus. Cuire 4-5 min jusqu'à ce que le dessous soit doré. À l'aide d'une spatule, tourner les sandwichs, puis les presser 20-30 secondes. Cuire environ 4 min de plus jusqu'à ce que l'autre côté soit doré.

Transférer dans des assiettes individuelles ou sur un plateau. Couper en deux ou en quatre et servir immédiatement.

Essayer avec d'autres fromages
St-Raymond, St-Paulin ou Cantonnier

Servir avec du vin
Rioja ou Tempranillo pour le rouge, Verdejo ou Albariño pour le blanc

Paupiettes de porc aux herbes et au pecorino

Les paupiettes, minces tranches de viande farcies, roulées et ficelées, sont un des mets préférés des Italiens qui les appellent *involtinis*. La farce varie du simple mélange de pain et de fines herbes à des mélanges de saveurs plus recherchées. J'aime ajouter de la pancetta ou du prosciutto à la farce, avec beaucoup de fromage.

8 tranches de longe de porc, d'une épaisseur d'environ ¼ po (6 mm)

¾ tasse (1 ½ oz/45 g) de chapelure fraîche

¾ tasse (3 oz/90 g) de pecorino ou de Romano râpé

¼ tasse (¹/₃ oz/10 g) de persil plat émincé

2 c. à soupe de sauge fraîche émincée, plus 8 feuilles entières

1 c. à soupe de thym frais émincé

sel de mer et poivre fraîchement moulu

1 gros œuf plus 1 jaune d'œuf

8 tranches de pancetta ou bacon

½ tasse (4 oz/125 g) de beurre non salé

farine tout usage pour saupoudrer

1 ½ tasse (12 oz liq./ 375 ml) de vin blanc sec tel que Sauvignon Blanc

En travaillant avec une tranche à la fois, mettre les tranches de porc entre 2 feuilles de papier ciré. À l'aide d'un maillet, attendrir la viande à une épaisseur uniforme de ⅛ po (3 mm). Dans un bol, mélanger la chapelure, le fromage, le persil, la sauge émincée, le thym, ¾ c. à thé de sel et ½ c. à thé de poivre. Ajouter l'œuf et le jaune d'œuf et mélanger. Disposer une tranche de pancetta le long du centre de chaque tranche de porc. Ajouter un huitième de la farce, en l'étendant pour déborder à peine de la pancetta. Replier les deux côtés par-dessus la farce pour la recouvrir partiellement, puis enrouler le porc en serrant bien pour maintenir la farce à l'intérieur. Déposer une feuille de sauge sur la longueur de chaque rouleau, puis ficeler avec 3 longueurs de corde de cuisine. Répéter avec les autres tranches.

Dans une cocotte ou autre plat à fond épais juste assez grand pour contenir les paupiettes en une couche, faire fondre le beurre à feu moyen-vif. Dans une passoire au-dessus d'une assiette ou d'un bol, déposer 2 paupiettes et saupoudrer de quelques cuillérées de farine. Secouer la passoire pour ne laisser qu'un léger saupoudrage sur les paupiettes. Transférer dans une assiette et répéter avec les autres. Déposer les paupiettes dans le plat et cuire environ 10 min jusqu'à ce qu'elles soient dorées de tous côtés et fermes lorsqu'on les presse avec le doigt. Transférer dans une assiette. Ajouter le vin, en raclant le fond. Incorporer ¼ c. à thé de sel et ½ c. à thé de poivre et retourner les paupiettes au plat. Réduire le feu à doux, couvrir et cuire environ 15 min, en les tournant deux fois, jusqu'à épaississement de la sauce. Transférer sur un plateau. Couper les ficelles et servir chaudes avec la sauce.

Brochettes d'agneau, féta, tomates et aubergines grillées

La féta est faite de lait de chèvre, de brebis ou de vache ou d'un mélange de laits. On le trouve presque tous les jours sur les tables de l'est méditerranéen, au côté de l'agneau, des tomates et des aubergines. Dans cette recette, j'ai combiné ces ingrédients de base pour faire un plat principal.

POUR L'AGNEAU

¼ tasse (2 oz liq./60 ml) d'huile d'olive extra-vierge

3 gousses d'ail, écrasées

1 c. à thé d'origan séché ou 1 c. à soupe d'origan frais haché

½ c. à thé de sel de mer, de poivre noir fraîchement moulu et de flocons de piment fort

2 lb (1 kg) d'épaule ou gigot d'agneau, désossé, coupé en cubes de 1 ½ po (4 cm)

POUR LES ACCOMPAGNEMENTS

¼ tasse (2 oz liq./60 ml) d'huile d'olive extra-vierge

1 gousse d'ail, émincée

½ c. à thé de sel de mer et de poivre fraîchement moulu

8 tomates, coupées en deux

4 petites aubergines, coupées en deux sur la longueur, ou 1 grosse aubergine, coupée sur la longueur en tranches de ½ po (12 mm)

½ lb (250 g) de Féta Saputo ferme, coupée en cubes de ½ po (12 mm)

Pour mariner l'agneau, dans un bol, mélanger l'huile d'olive, l'ail, l'origan, le sel, le poivre noir et les flocons de piment fort. Ajouter l'agneau et mélanger pour l'enduire d'huile. Recouvrir et réfrigérer au moins 1 h ou jusqu'à 4 h.

Préparer les légumes et le fromage 2-3 h avant la cuisson. Dans un bol, mélanger l'huile d'olive, l'ail, le sel et le poivre. Mettre les tomates dans un plat de cuisson peu profond, le côté coupé vers le haut, et badigeonner du mélange d'huile d'olive. Répéter pour l'aubergine mais en badigeonnant des deux côtés. Mélanger le fromage avec le reste de l'huile préparée pour l'enduire.

Préchauffer le gril à température moyenne-élevée et huiler la grille. Préparer 16-18 brochettes ; si elles sont en bois, les faire tremper dans l'eau 10 min. Retirer l'agneau de la marinade et enfiler 3-4 morceaux sur chaque brochette. Déposer les aubergines sur la grille et griller 5-6 min par côté, en les tournant une fois, jusqu'à ce qu'elles soient bien dorées des deux côtés. Transférer sur un plateau et recouvrir pour tenir au chaud. Mettre les brochettes d'agneau sur la grille et griller environ 15 min en les tournant au besoin jusqu'à ce qu'elles soient dorées de tous côtés et tendres. Environ 10 min avant la fin de la cuisson, mettre les tomates dans un panier à griller et cuire environ 10 min, en les tournant au besoin, jusqu'à ce qu'elles soient légèrement noircies.

Disposer les brochettes d'agneau, les tomates, les aubergines et le fromage sur un ou plusieurs plateaux et servir immédiatement.

Poulet rôti farci au gruyère, au pain et à la saucisse

4-6 PORTIONS

Le gruyère est un bon fromage à utiliser dans les farces et pour gratiner puisqu'il fond uniformément tout en retenant son caractère essentiel. Dans cette recette, il ajoute saveur et texture à une farce traditionnelle de pain et de saucisse.

POUR LA FARCE

2 c. à soupe de beurre non salé

2 c. à soupe d'échalotes émincées

2 c. à thé de thym frais émincé

½ c. à thé de sel de mer

½ c. à thé de poivre moulu

¼ lb (125 g) de chair à saucisses de porc ou de poulet

3 oz (90 g) de gruyère ou de Cogruet, coupé en cubes de ¼ po (6 mm)

3-4 tranches de baguette de 1 po (2,5 cm), coupées en cubes de 1 po (2,5 cm)

2 c. à thé de persil plat haché

environ 1 ½ tasse (12 oz liq./375 ml) de bouillon de poulet pauvre en sel

1 poulet d'environ 4 lb (2 kg)

1 c. à soupe de beurre non salé, à température de la pièce

½ c. à thé de sel de mer

½ c. à thé de poivre fraîchement moulu

Préchauffer le four à 350°F (180°C). Choisir une rôtissoire juste assez grande pour contenir le poulet et y déposer une grille.

Pour préparer la farce, dans une poêle à feu moyen, faire fondre le beurre. Lorsqu'il mousse, ajouter les échalotes, le thym, le sel et le poivre et cuire environ 2 min, en remuant, jusqu'à ce que les échalotes soient translucides. Ajouter la chair à saucisse et cuire environ 5 min, en remuant à l'occasion, jusqu'à ce qu'elle soit tout juste ramollie. Transférer le mélange dans un bol et ajouter le fromage, le pain et le persil. Humecter avec le bouillon de poulet pour obtenir une pâte légèrement collante.

Éponger le poulet et frotter l'intérieur et l'extérieur avec du beurre. Assaisonner de sel et de poivre. Remplir la cavité à fond avec la farce et brider les pattes avec de la corde de cuisine. Mettre la volaille sur la grille et rôtir environ 1 ½ h, jusqu'à ce que la peau soit dorée et que les jus qui s'écoulent du haut de la cuisse lorsqu'on la pique avec un couteau soient clairs, ou jusqu'à ce qu'un thermomètre à lecture instantanée inséré dans la cuisse sans toucher à l'os enregistre 160°F (71°C). Transférer sur une planche à découper, recouvrir lâchement de papier d'aluminium et laisser reposer 10-15 min avant de découper.

Pour servir, retirer la farce et la mettre sur un plateau. Découper des morceaux de poulet et les disposer autour de la farce. Arroser des jus de cuisson et servir immédiatement.

Hamburger pour amateurs de fromage

Comme tout le monde, je succombe aisément au plaisir d'un gros hamburger juteux au fromage. Pour varier, je mets le fromage à l'intérieur de la galette de viande où il fond en cuisant. Mon fromage préféré dans ce cas est le cheddar ou le Gorgonzola. En ajoutant du fromage par-dessus, le mets devient irrésistible.

3 lb (1,5 kg) de haut-côté haché

1 c. à soupe de sel de mer

1 ½ c. à thé de poivre fraîchement moulu

3 oz (90 g) de fromage Gorgonzola ou Bleubry, et un peu plus pour garnir

6 pains hamburger, coupés en deux

SUGGESTIONS D'ACCOMPAGNEMENTS

laitue beurre ou roquette

tranches de tomate

tranches d'oignon rouge, grillées ou crues

tranches de poivron rouge rôti

pepperoncini

Dans un bol, mélanger la viande, le sel et le poivre avec les doigts. Diviser la viande en 12 boules et en aplatir 6 légèrement. Diviser le Bleubry en 6 portions. Insérer une portion de fromage au centre de chacune des 6 boules aplaties. Déposer les autres boules de viande par-dessus et pincer les bords. Aplatir légèrement pour faire 6 galettes de 5-6 po (13-15 cm). Emballer dans une pellicule plastique et mettre au réfrigérateur au moins 1 h ou jusqu'à 4 h avant la cuisson.

Préchauffer le gril à température moyenne-élevée et huiler la grille. Mettre les pains sur la grille, le côté coupé vers le bas, et griller 2-3 min jusqu'à ce qu'ils soient dorés. Transférer dans une assiette et tenir au chaud. Mettre les galettes sur la grille et cuire environ 4 min par côté pour une cuisson saignante, 6-8 min par côté pour une cuisson à point et 10 min par côté pour une cuisson bien cuit. Pendant la dernière minute de cuisson, déposer un peu de Gorgonzola sur chaque galette.

Servir les hamburgers chauds avec les pains et les condiments.

Essayer avec d'autres fromages
Tomme des Cantons, Cogruet, St-Paulin, Paillot, Camembert Alexis de Portneuf, Kingsberg

Servir avec du vin ou de la bière
Un rouge moyennement charnu tel que Syrah ou une ale blonde

Plats
d'accompagnement

À ma table, les plats d'accompagnement ont
autant d'importance que le plat principal et je
leur accorde autant de soins, souvent en ajoutant
du fromage… Des tranches de mozzarella fraîche ou
de Saint-Marcellin ajoutent une complexité de bon aloi
aux légumes rôtis ou grillés ; le brocoli, les asperges et
les pommes de terre, fraîchement cueillis dans mon
jardin, et cuits au four dans une sauce au fromage sont
toujours un régal. Enfin, personne – surtout pas moi
– ne peut résister à un soufflé au fromage bien monté
ni aux beignets au maïs assaisonnés au fromage.

Endives au four au Saint-Marcellin

Du nom de la ville de Saint-Marcellin près de Grenoble dans les Alpes françaises, ce fromage au lait de vache est habituellement dégusté frais. Il est vendu dans une terrine ronde en terre cuite que vous pouvez conserver. Piquant et crémeux, il est délicieux fondu sur des endives – ou mangé à la cuillère.

2 ½ c. à soupe de beurre non salé, coupé en petits morceaux, et un peu plus pour graisser

5 grosses ou 10 petites endives

4 tranches épaisses de bacon, coupées sur la largeur en lardons de ½ po (12 mm)

2 oignons jaunes, tranchés finement

½ c. à thé de sel de mer

½ c. à thé de poivre fraîchement moulu

2 fromages Saint-Marcellin ou Paillot de chèvre coupés en tranches de ½ po (12 mm)

1 c. à thé de feuilles de thym frais

Préchauffer le four à 350 °F (180 °C). Couper chaque endive en deux sur la longueur, puis retrancher une bonne partie de la base solide en en laissant suffisamment pour faire tenir les feuilles ensemble. Disposer les endives dans un plat de cuisson en une couche bien tassée, le côté coupé vers le haut. Parsemer de morceaux de beurre. Réserver.

Dans une poêle à feu moyen, frire le bacon jusqu'à ce qu'il commence à rendre son gras, puis ajouter les oignons et cuire environ 10 min jusqu'à ce que les oignons soient translucides et que le bacon commence à être croustillant. Assaisonner de sel et de poivre. Verser le mélange de bacon et d'oignons sur les endives en le faisant pénétrer autour des feuilles. Garnir de fromage et parsemer de feuilles de thym.

Cuire au four environ 20 min jusqu'à ce que le fromage soit complètement fondu et légèrement gratiné. Servir chaudes.

Essayer avec d'autres fromages
Kingsberg, Mont Gleason, Cheddar Caron 3 ans, Cantonnier,
ou St-Paulin (râper les fromages plus fermes au lieu de les trancher)

Polenta à la bette à carde et aux champignons sauvages

Ce plat est un classique dans ma cuisine, surtout lorsque mon jardin regorge de bettes à carde. C'est un excellent plat végétarien et la polenta s'infuse d'une telle saveur de fromage qu'on pourrait la déguster telle quelle sans légumes. On peut aussi utiliser du parmesan ou du Fontina.

Sel de mer et poivre fraîchement moulu

1 ½ tasse (10 ½ oz/330 g) de polenta

2 bettes à carde, les tiges dures enlevées

1 lb (500 g) de champignons sauvages mélangés tels que chanterelles, bolets, morilles et dermatoses des russules, nettoyés et hachés grossièrement ou laissés entiers selon la taille

1 brin de romarin frais d'environ 6 po (15 cm)

1 c. à soupe d'huile d'olive extra-vierge

4 c. à soupe (2 oz/60 g) de beurre non salé

1 c. à soupe d'échalotes émincées

1 tasse (4 oz/125 g) de cheddar blanc ou de Cheddar Caron 3 ans , râpé ou émietté

Dans une grande poêle à feu vif, porter à ébullition 8 tasses (64 oz liq./2 litres) d'eau et 1 ½ c. à thé de sel. Ajouter la polenta en un long filet continu, en remuant sans cesse. Réduire le feu à doux et cuire 40-45 min, en remuant souvent, jusqu'à ce que la polenta se détache des parois.

Entre-temps, préparer la bette à carde et les champignons. Porter une grande marmite d'eau à ébullition. Ajouter les bettes à carde, en les pliant pour les faire rentrer, et le brin de romarin. Réduire le feu à moyen et cuire environ 15 min jusqu'à ce que les tiges soient faciles à percer avec une fourchette. Égoutter à fond. Hacher grossièrement et essorer. Réserver.

Dans une poêle à feu moyen vif, faire chauffer l'huile d'olive et 1 c. à soupe de beurre. Ajouter les échalotes et les champignons et cuire 8-10 min jusqu'à ce que les champignons soient tendres. À l'aide d'une cuillère à égoutter, transférer dans un bol. Réserver les jus de cuisson.

Lorsque la polenta est prête, incorporer les 3 c. à soupe de beurre, ¾ tasse de fromage (3 oz/90 g), 1 c. à thé de sel et 1 c. à thé de poivre et cuire 3-4 min de plus jusqu'à ce que le beurre et le fromage soient fondus. Retourner la poêle sur un feu moyen vif pour la cuisson des champignons. Faire chauffer les jus, puis ajouter la bette à carde et les champignons et cuire en remuant jusqu'à ce que les légumes soient chauds et enduits de jus. Assaisonner avec ½ c. à thé de sel et de poivre.

Verser la polenta dans un grand bol de service, garnir de la bette à carde et des champignons, puis parsemer du reste du fromage. Servir immédiatement.

Purée de courge d'hiver rôtie au fromage bleu

Dès qu'elle est en saison, je commence à cuisiner la courge d'hiver, un aliment qui peut être apprêté avec d'innombrables assaisonnements et ingrédients sucrés et salés. Je trouve que l'ajout d'un bleu léger tel qu'un Fourme d'Ambert fait ressortir le goût du terroir de la courge.

2 lb (1 kg) de courges d'hiver telles que courge musquée, courge poivrée ou citrouille à tarte

2 c. à soupe d'huile d'olive extra-vierge

1 c. à soupe de crème épaisse, et un peu plus au besoin

1 c. à soupe de beurre non salé, à température de la pièce

¼ c. à thé de sel de mer

½ c. à thé de poivre fraîchement moulu, et un peu plus pour saupoudrer

3 oz (90 g) de fromage bleu tel que Bleubry, et un peu plus pour garnir, à température de la pièce

Préchauffer le four à 350 °F (180 °C). Couper les courges en deux et jeter les graines et les filaments. Mettre les moitiés sur une plaque à pâtisserie et arroser d'une c. à soupe d'huile d'olive. Retourner et arroser avec le reste de l'huile. Recouvrir de façon étanche avec un papier d'aluminium et cuire au four environ 1 h jusqu'à ce que la chair soit facile à percer avec une fourchette.

Retirer les courges du four et évider la chair dans un bol dès que celle-ci a suffisamment refroidi. Ajouter la crème, le beurre, le sel, le poivre et le Bleubry et réduire en purée avec un batteur électrique. Ajouter de la crème au besoin pour obtenir une consistance lisse. Rectifier l'assaisonnement.

Juste avant de servir, mettre la purée dans une casserole à feu moyen et chauffer 3-4 min, en remuant, jusqu'à ce qu'elle soit chaude. Verser dans un bol de service, garnir de Bleubry émietté et poivrer. Servir chaude.

◉

Essayer avec d'autres fromages
Bella Lodi grossièrement râpé, Kingsberg ou Cantonnier en cubes

Brocoli au fromage

Voici un plat classique qui a fait le tour de l'Amérique. Vous pouvez varier la saveur en utilisant différents fromages tels que du fromage suisse ou du Fontina mais un bon cheddar fort est de loin mon préféré pour ce plat réconfortant.

4-5 grosses têtes de brocoli

3 c. à soupe de beurre non salé

3 c. à soupe de farine tout usage

2 tasses (16 oz liq./500 ml) de lait entier

½ c. à thé de sel de mer

½ c. à thé de poivre noir fraîchement moulu

⅛ c. à thé de poivre de Cayenne

3 oz (90 g) de cheddar fort tel que le Cheddar Caron 5 ans râpé

Retrancher et jeter les épaisses tiges du brocoli. Couper les têtes sur le sens de la longueur, en deux ou en trois, selon leur taille. Porter de l'eau à ébullition. Disposer le brocoli dans une marguerite, déposer celle-ci sur l'eau bouillante, couvrir et cuire à l'étuvée environ 15 min jusqu'à ce que le brocoli soit facile à percer avec une fourchette.

Entre-temps, préparer la sauce. Dans une casserole à feu moyen vif, faire fondre le beurre. Lorsqu'il mousse, retirer du feu et incorporer la farine en fouettant pour faire une pâte épaisse. Retourner sur le feu et verser doucement le lait en fouettant sans cesse. Porter à ébullition en continuant de fouetter. Réduire le feu à doux et laisser mijoter 7-10 min, en remuant à l'occasion, jusqu'à ce que le mélange soit légèrement épaissi. Incorporer le sel, le poivre noir et le poivre de Cayenne et laisser mijoter environ 10 min de plus, en remuant à l'occasion, jusqu'à que le mélange soit suffisamment épais pour napper le dos d'une cuillère. Ajouter le fromage et remuer environ 2 min jusqu'à ce qu'il soit tout juste fondu. Retirer du feu.

Disposer les morceaux de brocoli dans un bol de service chaud et verser la sauce chaude par-dessus. Servir immédiatement.

Essayer avec d'autres fromages
Tout fromage fort semi-ferme tel que Comté ou Mont Gleason

Gruau de maïs au fromage

Je n'avais jamais mangé de gruau de maïs quand un bon ami du Kentucky m'a envoyé un paquet de gruau de maïs moulu sur pierre avec une recette. J'en suis tombée amoureuse et j'en sers régulièrement à présent pour remplacer les pommes de terre, le riz ou la polenta. J'aime utiliser deux sortes de cheddar pour une saveur plus complexe.

½ c. à soupe de beurre non salé

3 gros œufs

1 tasse (8 oz liq./250 ml) de lait entier

1 c. à thé de sel de mer

¾ tasse (4 oz/125 g) de gruau de maïs

1 tasse (4 oz/125 g) de cheddar doux tel que le Cheddar Caron 3 ans rapé

1 tasse (4 oz/125 g) de cheddar fort tel que le Cheddar Caron 5 ans râpé

½ tasse (1 ½ oz/45 g) d'oignons verts émincés

poivre fraîchement moulu

Préchauffer le four à 325 °F (165 °C). Beurrer un plat de cuisson de 2 pintes (2 litres). Dans un bol, fouetter les œufs avec le lait jusqu'à ce qu'ils soient bien mélangés. Réserver.

Dans une casserole à feu moyen vif, mélanger 2 tasses (16 oz liq./500 ml) d'eau et le sel et porter à ébullition. Incorporer doucement le gruau de maïs. Réduire le feu à doux, couvrir et cuire environ 20 min, en remuant souvent, jusqu'à ce que le gruau soit tendre et l'eau absorbée. Retirer du feu, couvrir et laisser reposer 5 min pour l'épaissir.

Verser le gruau chaud dans un bol et ajouter le mélange aux œufs en fouettant. Incorporer environ les trois quarts de chacun des fromages, les oignons verts et le poivre au goût et bien mélanger. Verser le gruau dans le plat de cuisson préparé et parsemer du fromage restant.

Cuire au four environ 20 min jusqu'à ce que les bords soient dorés et qu'un cure-dent inséré au milieu en ressorte propre. Servir immédiatement.

⸻ ◉ ⸻

Essayer avec d'autres fromages
Mont Gleason, Bella Lodi ou Cantonnier

Tomates grillées au fromage et aux herbes

Dès que les premiers fruits mûrissent et jusqu'au triste moment où le gel s'installe, les tomates sont une partie essentielle de mon jardin et de ma table. Étant donné que j'utilise souvent le gril, ce plat, qui ressemble à une *insalata caprese* chaude, est souvent servi en accompagnement.

6 oz (185 g) de mozzarella fraîche tel que Mozzarina, en tranches

2 c. à soupe d'huile d'olive extra-vierge, et un peu plus pour arroser

sel et poivre fraîchement moulu

4 tomates, coupées en deux sur la largeur

½ tasse (½ oz/15 g) de feuilles de basilic frais

Dans un bol, mélanger la mozzarella avec 2 c. à soupe d'huile d'olive. Saler et poivrer.

Préchauffer le gril à température moyenne élevée et huiler la grille. Mettre les tomates, côté coupé vers le haut, dans un panier à griller ou sur la grille, côté coupé vers le bas. Fermer le couvercle et cuire environ 10 min, jusqu'à ce que la peau commence à friper. Ajouter une feuille ou deux de basilic et une tranche de mozzarella sur chaque moitié de tomate et griller 2 min de plus, à couvert, jusqu'à ce que le fromage commence à ramollir.

Transférer sur un plateau de service, arroser d'huile d'olive et assaisonner de sel et de poivre. Servir immédiatement.

Essayer avec d'autres fromages
Roche Noire, Doré-Mi, Féta Saputo, Cheddar Caron 3 ans

Pommes de terre Fingerling écrasées au fromage blanc

Le fromage blanc est un fromage frais crémeux et légèrement piquant originaire de Belgique. Il est délicieux dans des soupes, arrosé de miel ou mélangé à des légumes. Dans cette recette, les pommes de terre sont écrasées légèrement avant d'être mélangées au fromage et à la ciboulette.

2 lb (1 kg) de pommes de terre Fingerling

1 c. à thé de sel de mer

2 c. à soupe de beurre non salé

¼ tasse (2 oz/60 g) de fromage blanc ou de Mascarpone Saputo

½ c. à thé de poivre fraîchement moulu

1 c. à soupe de ciboulette ciselée

Dans une grande casserole à feu vif, mélanger les pommes de terre et le sel et ajouter de l'eau pour couvrir de 2 po (5 cm). Porter à ébullition. Réduire le feu à moyen, couvrir et cuire 20-25 min jusqu'à ce que les pommes de terre soient tendres lorsqu'on les perce avec un couteau aiguisé.

Égoutter les pommes de terre et les retourner à la casserole. Ajouter le beurre. Avec une fourchette ou le dos d'une cuillère en bois, écraser les pommes de terre en gros morceaux. Ajouter le fromage et le poivre et écraser de nouveau pour incorporer le fromage. Rectifier l'assaisonnement. Transférer dans un bol de service chaud et garnir de ciboulette. Servir immédiatement.

Essayer avec d'autres fromages
Ricotta Saputo ou Capriny

Radicchios grillés au *scarmorza*

Le *scarmorza*, vient principalement du nord de l'Italie et est disponible sous forme fumée. Son goût léger et laiteux ressemble à celui de la mozzarella ou du provolone. Je sers ce plat d'accompagnement avec du porc rôti, un mets au goût suffisamment robuste pour soutenir le merveilleux goût fumé du radicchio grillé.

2 radicchios petits à moyens

2 c. à soupe d'huile d'olive extra-vierge

1 c. à thé de jus de citron frais

1 ½ c. à thé de sel de mer

½ c. à thé de poivre fraîchement moulu

huile de canola pour griller

6 oz (185 g) de fromage *scarmorza* ou un Caciocavallo fumé râpé

Retirer les feuilles externes endommagées du radicchio. Couper chacun sur la longueur en tranches d'environ 1 ½ po (4 cm), en transperçant le cœur et en laissant un morceau de cœur sur chaque tranche pour la faire tenir ensemble. (Les tranches du bout qui ne sont pas attachées au cœur peuvent être réservées pour un autre usage, une salade par exemple.) Mettre les tranches de radicchio en une couche dans un plat de cuisson peu profond. Arroser d'une c. à soupe d'huile d'olive et ½ c. à thé de jus de citron. Assaisonner avec la moitié du sel et du poivre. Retourner les tranches et répéter l'arrosage et l'assaisonnement. Laisser reposer à température de la pièce au moins 30 min ou jusqu'à 4 h avant de cuire.

Lorsqu'on est prêt à griller, préchauffer le four à 325 °F (165 °C). Huiler une poêle à fond cannelé et la chauffer à feu moyen-vif. Mettre les tranches de radicchio dans la poêle et cuire 3-4 min jusqu'à ce qu'elles soient saisies et dorées sur un côté. Tourner et griller 1-2 min de plus. Transférer dans un plat de cuisson et garnir de fromage en le répartissant uniformément. Cuire au four environ 4 min jusqu'à ce que le fromage soit fondu. Servir chaud.

Essayer avec d'autres fromages
Sir Laurier, Caprano, St-Paulin, Cantonnier
ou tout fromage doux qui fond bien

Pouding au pain aux asperges et au Fontina

Ce pouding savoureux, parsemé de copeaux de Fontina et aromatisé au Romano pour donner une texture salée, regorge de riches saveurs. Conservez vos restes de pain pendant une semaine, y compris les quignons de baguette; le pain lourd donne un pouding dense, le pain léger produit une texture plus tendre.

8-12 tranches épaisses de pain rassis, coupées en deux

2 ½ tasses (20 oz liq./625 ml) de lait entier, et un peu plus au besoin

5 gros œufs

1 c. à thé de sel de mer

1 c. à thé de poivre fraîchement moulu

1 lb (500 g) d'asperges, les bouts durs retranchés, coupées en biseau en tronçons de 2 po (5 cm)

½ tasse (¾ oz/20 g) de fines herbes fraîches mélangées, hachées, telles que ciboulette, persil plat, estragon, thym et marjolaine

¼ tasse (1 oz/30 g) de Romano fraîchement râpé

½ lb (250 g) de Fontina ou de Cantonnier en cube

½ c. à soupe de beurre non salé, coupé en petits morceaux

Mettre le pain dans un plat peu profond et y verser le lait. Laisser tremper jusqu'à ce que le lait soit absorbé et le pain tendre. Cela peut prendre de 5 à 30 min selon la texture du pain. Essorer les tranches de pain pour extraire le lait. Mesurer le lait extrait; il en faut ½ tasse (4 oz liq./125 ml). Sinon, combler la différence en ajoutant du lait. Réserver le pain et le lait séparément.

Préchauffer le four à 350 °F (180 °C). Beurrer un grand plat de cuisson peu profond de 12 po (30 cm) ou deux plats plus petits de 8 po (20 cm). Dans un bol, battre les œufs avec le sel, le poivre et le lait réservé. Disposer le pain dans le plat préparé. Réserver 6-8 pointes d'asperges et garnir le pain avec le reste des asperges et les herbes mélangées. Répartir le fromage sur les asperges. Verser le mélange aux œufs par-dessus et parsemer de beurre. Cuire au four environ 45 min, jusqu'à ce que le dessus soit croûté et doré et qu'un couteau inséré au centre du pouding en ressorte propre. Pendant les 5 dernières min de cuisson, garnir des pointes d'asperges réservées. Laisser reposer 15 min avant de servir.

Essayer avec d'autres fromages
Bella Lodi et Comté, ou toute combinaison de fromages doux fondants

Timbales d'épinards et de fromage

Ces préparations fines et savoureuses font un plat d'accompagnement inusité. Je les sers avec des viandes rôties, ou en entrée nappées de sauce tomate. Vous pouvez remplacer les épinards par de la bette à carde ou du chou vert frisé mais en les faisant cuire 5 min de plus jusqu'à tendreté.

1 botte d'épinards, environ 12 oz (375 g), les bouts durs retranchés

4 gros œufs

1 ½ tasse (12 oz liq./375 ml) de lait entier, chauffé

⅓ tasse (¾ oz/20 g) de chapelure fraîche

½ tasse (2 oz/60 g) de cheddar doux ou de Cheddar Caron 3 ans râpé

1 c. à thé d'oignon jaune émincé

½ c. à thé de sel de mer

¼ c. à thé de poivre fraîchement moulu

2 c. à thé de beurre non salé

Préchauffer le four à 325 °F (165 °C). Mettre les épinards dans une grande casserole et ajouter 2 po (5 cm) d'eau. Mettre sur feu vif et cuire environ 5 min jusqu'à ce que les épinards soient tendres mais encore vert vif. Égoutter et rincer à l'eau courante froide. Essorer, puis émincer. Essorer de nouveau et réserver. Il en faut environ ½ tasse (3 ½ oz/105 g). Dans un grand bol, fouetter les œufs, puis incorporer le lait, la chapelure, le fromage, les épinards, l'oignon, le sel et le poivre.

Beurrer 8 ramequins de ½ à ¾ tasse (4-6 oz liq./125-180 ml). Sinon, beurrer un plat à gratin de 9 po (23 cm). Répartir le lait également entre les ramequins ou le verser dans le plat. Mettre les ramequins ou le plat dans un plat de cuisson. Verser de l'eau chaude dans celui-ci jusqu'à mi-hauteur des ramequins ou du plat.

Cuire au four 40-50 min jusqu'à ce qu'un cure-dent inséré au centre en ressorte propre et que la surface soit légèrement dorée. Pour servir, retirer de l'eau et laisser refroidir 10 min. Glisser une lame de couteau sur le pourtour, renverser dans une assiette pour démouler la timbale. Pour servir le plat à gratin, démouler sur un plateau et couper en tranches ; servir immédiatement.

Essayer avec d'autres fromages

Un fromage semi-ferme à râper tel que Kingsberg, Mont Gleason ou Comté

Biscuits au Jalapeño et au Manchego

Le Manchego est un fromage sec et savoureux au lait de brebis de la race « Manchega » provenant de la région de La Mancha en Espagne. J'aime servir ces biscuits au fromage pimentés de Jalapeño avec des plats au goût robuste : côtes levées grillées, épaule de porc rôtie ou chili con carne.

2 tasses (10 oz/315 g) de farine tout usage, et un peu plus pour saupoudrer

1 c. à soupe de levure chimique

1 c. à thé de sel de mer

1 piment Jalapeño, épépiné et émincé

3 oz (90 g) de fromage Manchego, râpé

6 c. à soupe (3 oz/90 g) de beurre non salé froid, coupé en petits morceaux

¾ tasse (6 oz liq./180 ml) plus 2 c. à soupe de lait entier

Préchauffer le four à 450 °F (230 °C). Dans un grand bol, mélanger la farine, la levure chimique, le sel, le piment et le fromage. Parsemer de beurre. À l'aide d'un coupe-pâte ou de deux couteaux, couper le beurre dans la farine pour obtenir des morceaux de la taille d'un pois. Verser le lait dans le mélange. À l'aide d'une fourchette, mélanger pour tout juste humecter les ingrédients secs. Avec les doigts, rassembler la pâte en une boule grossière et la pétrir à quelques reprises dans le bol.

Sur une surface légèrement farinée, abaisser la pâte en un rond d'environ ½ po (12 mm) d'épaisseur. À l'aide d'un emporte-pièce rond de 1 ¼ po (3 cm), découper autant de ronds que possible et les déposer sur une plaque à pâtisserie. Rassembler les retailles, abaisser de nouveau et découper autant de ronds que possible pour les ajouter à la plaque.

Cuire au four environ 10 min jusqu'à ce que les biscuits soient légèrement gonflés et légèrement dorés.

Essayer avec d'autres fromages
Un Cheddar Caron 3 ans ou Cheddar Caron 5 ans

Beignets au maïs et au Teleme

Le Teleme est fabriqué à San Luis Obispo en Californie par une fromagerie familiale. Il fond bien et possède un goût légèrement acidulé, ce qui en fait un bon choix pour amalgamer le maïs et la panure assaisonnée. Le fromage onctueux qui s'en échappe lorsqu'on le croque est une délicieuse surprise.

4 épis de maïs blanc, jaune ou un mélange des deux

¼ d'oignon jaune

¼ tasse (1 ½ oz/45 g) de farine tout usage

½ c. à thé de levure chimique

¼ c. à thé de sel de mer, et un peu plus pour saupoudrer

¼ c. à thé de poivre fraîchement moulu

1 gros œuf, légèrement battu

3 oz (90 g) de Teleme ou de Cantonnier, coupé en petits cubes

huile d'olive extra-vierge, pour frire

Disposer un épi de maïs à la verticale dans une assiette creuse, la queue vers le bas. À l'aide d'un couteau aiguisé, retrancher les grains, en tournant d'un quart de tour après chaque coup. Répéter avec les autres épis. Transférer les grains dans un bol. À l'aide d'une râpe fine, râper l'oignon au-dessus du bol. Saupoudrer de farine, de levure chimique, de sel et de poivre et mélanger. Ajouter l'œuf et le fromage et bien mélanger.

Verser ¼ po (6 mm) de l'huile d'olive dans une grande poêle et chauffer à feu moyen-vif. Lorsque l'huile est chaude, y déposer le mélange de maïs par cuillérées combles, en les espaçant d'environ 1 po (2,5 cm). Appuyer doucement avec le dos d'une cuillère en bois et frire environ 2 min jusqu'à ce que le premier côté soit bien doré. Tourner les beignets et frire 1 min de plus jusqu'à ce qu'ils soient dorés de l'autre côté. À l'aide d'une cuillère à égoutter, transférer sur un plateau tapissé de papier absorbant pour les égoutter. Répéter avec le reste du mélange, en ajoutant de l'huile et en réduisant le feu au besoin.

Transférer sur un plateau, saupoudrer de sel et servir chauds ou tièdes.

Essayer avec d'autres fromages
Vacherin, St-Paulin ou Cendré

Soufflé au parmesan et au gruyère

Un mets classique sur les cartes des restaurateurs français, les soufflés au fromage aérés et légers fondent délicieusement dans la bouche. Pour les aider à gonfler, beurrez généreusement le rebord du moule et incorporez un tiers des blancs d'œuf dans la sauce encore chaude avant de plier la sauce dans les blancs restants.

4 c. à soupe (2 oz/60 g) de beurre non salé

7 gros œufs

¼ tasse (1 ½ oz/45 g) de farine tout usage

1 tasse (8 oz liq./250 ml) de lait entier, chauffé

1 c. à thé de sel de mer

½ c. à thé de poivre fraîchement moulu

¾ tasse (3 oz/90 g) de gruyère ou de Mont Gleason râpé

¼ tasse (1 oz/30 g) de parmesan ou de Bella Lodi fraîchement râpé,

¼ c. à thé de crème de tartre

Préchauffer le four à 350 °F (180 °C). Beurrer un moule à soufflé de 6 tasses (48 oz liq./1,5 litre) avec 1 c. à soupe de beurre. Réfrigérer 10 min. Séparer les œufs, en déposant les jaunes dans un petit bol et les blancs dans un grand bol. Porter à température de la pièce.

Dans une casserole à feu doux, faire fondre les 3 c. à soupe de beurre restant. Lorsqu'il mousse, incorporer la farine et cuire environ 1 min en remuant. Ajouter le lait chaud, le sel et le poivre, augmenter le feu à moyen et porter à ébullition en fouettant sans cesse. Réduire le feu à doux et laisser bouillir environ 1 min en fouettant sans cesse. Retirer du feu, ajoutez les jaunes d'œuf, le Mont Gleason et le Bella Lodi et fouetter pour bien mélanger. Réserver.

Battre les blancs d'œuf avec la crème de tartre jusqu'à formation de pics durs. À l'aide d'une spatule, plier délicatement un tiers des blancs d'œuf dans le mélange au fromage, puis plier délicatement mais rapidement le mélange au fromage dans les blancs d'œuf restants.

Verser le mélange dans le moule refroidi et le déposer sur une plaque à pâtisserie. Cuire au four environ 30 min, jusqu'à ce qu'il soit gonflé et doré et qu'un cure-dent inséré au centre en ressorte propre. Servir immédiatement.

Essayer avec d'autres fromages
Caprano, Roche Noire, Caciocavallo, Parmesan Saputo ou Cheddar Caron 3 ans

Gratin de chou-fleur aux deux fromages

6-8 PORTIONS

Pour ce plat crémeux, j'utilise deux fromages : le très polyvalent gruyère et une Mimolette vieillie, un fromage au lait de vache moins connu avec une teinte orangée qui se râpe aisément et fond bien.

4 c. à soupe (2 oz/60 g) de beurre non salé, et un peu plus pour graisser

1 chou-fleur, coupé en fleurons

¼ tasse (1 ½ oz/45 g) de farine tout usage

3 tasses (24 oz liq./750 ml) de lait entier

une pincée de poivre de Cayenne

½ c. à thé de sel de mer ou au goût

2 oz (60 g) de gruyère ou de Kingsberg, râpé

2 oz (60 g) de Mimolette ou de Caprano vieilli, râpé

Préchauffer le four à 375 °F (190 °C). Beurrer un plat de cuisson peu profond. Porter de l'eau à ébullition dans une casserole. Disposer les fleurons de chou-fleur dans une marguerite, déposer celle-ci sur l'eau bouillante, couvrir et cuire à l'étuvée environ 15 min jusqu'à tendreté. Ne pas trop cuire. Retirer les fleurons de la marguerite et les disposer en une couche bien tassée dans le plat préparé. Réserver.

Entre-temps, préparer la sauce. Dans une casserole à feu moyen-vif, faire fondre les 4 c. à soupe de beurre. Lorsqu'il mousse, retirer la casserole du feu et incorporer la farine en fouettant pour faire une pâte épaisse. Retourner sur le feu et ajouter doucement le lait en fouettant sans cesse. Ajouter le poivre de Cayenne et ½ c. à thé de sel, réduire le feu à moyen et laisser mijoter environ 15 min, en remuant à l'occasion, jusqu'à ce que la sauce nappe le dos d'une cuillère. Incorporer la moitié du Kingsberg et le Caprano vieilli. Rectifier l'assaisonnement en sel. Verser la sauce sur le chou-fleur. Parsemer du gruyère restant.

Cuire au four environ 20 min jusqu'à ce que le dessus soit doré et la sauce bouillonnante. Servir chaud.

Essayer avec d'autres fromages
Caciocavallo fumé, Mont Gleason ou Cheddar Caron 3 ans et Manchego

Desserts

J'ai appris de mes amis et voisins français qu'un
dessert simple fait maison avec des aliments en saison
est habituellement la meilleure façon de terminer
un repas. Le fromage joue souvent un rôle important dans
ces modestes finales. Par exemple, j'aime sucrer le chèvre,
la ricotta ou le fromage blanc avec du miel ou du sucre
en y ajoutant des fruits frais : oranges sanguines l'hiver,
fraises l'été. Pour un plat plus élaboré, je fais cuire
le fromage dans une tarte ou une galette rustique
ou je prépare un gâteau au fromage classique.

Poires rôties au miel au triple crème

Les poires et le fromage sont faits pour aller ensemble et cette recette simple et rapide en est la preuve. On fait rôtir les poires avec un peu de beurre et de miel, puis on les garnit d'un riche fromage crémeux tel qu'un Brillat-Savarin ou un Explorateur pour terminer un repas d'automne ou d'hiver avec une touche décadente.

4 poires telles que Anjou ou Bosc, environ 1½ lb (750 g) au total

4 c. à soupe (2 oz/60 g) de beurre non salé, fondu

¼ tasse (3 oz/90 g) de miel

¼ lb (125 g) de fromage Triple Crème Du Village, coupé en 8 tranches

amandes effilées, pour servir (facultatif)

Préchauffer le four à 400°F (200°C). Couper les poires en deux sur la longueur en laissant la queue sur une moitié, puis évider pour faire une petite cavité ronde (une cuillère à melon est utile ici). Badigeonner le fond d'un plat de cuisson avec la moitié du beurre fondu et y déposer les poires, côté coupé vers le bas. Badigeonner les poires avec le beurre fondu restant.

Rôtir les poires entre 15 et 30 min, jusqu'à ce qu'elles soient faciles à transpercer avec une fourchette. Retourner les poires, badigeonner le côté coupé de miel et rôtir 5 min de plus.

Transférer les poires chaudes sur un plateau et verser les jus du plat par-dessus. Déposer un morceau de triple crème sur chaque moitié et parsemer d'amandes, si désiré. Servir immédiatement.

Servir avec du vin
Un vin pétillant, un vin de dessert tel que vin santo ou Sauternes ou un blanc parfumé tel que Gewürztraminer ou Viognier

Ricotta aux oranges sanguines, pistaches et miel

Mon mari et moi cultivons une cinquantaine d'orangers sanguins et il y a des pistachiers près de chez nous. En hiver, nous hébergeons des ruches d'abeille dans notre verger et l'apiculteur nous paie en miel. Si de plus je prépare une ricotta maison, ce dessert devient un authentique produit du terroir. Vous pouvez varier les fruits selon la saison.

2 oranges sanguines

½ tasse (4 oz/125 g) de ricotta Saputo de lait entier

½ tasse (2 oz/60 g) de pistaches, hachées

graines de grenade, pour garnir (facultatif)

¼ tasse (3 oz/90 g) de miel

À l'aide d'un couteau aiguisé, couper une tranche sur le dessus et le dessous des oranges sanguines pour exposer la chair. Poser le fruit droit et retrancher la pelure et la peau blanche, en suivant le contour et en tranchant de larges lanières. Le fruit peut ensuite être coupé en segments ou tranché. Pour le couper en segments, le tenir avec une main au-dessus d'un bol et, avec l'autre main, couper de part et d'autre de chaque segment pour le dégager de la membrane, en le laissant tomber dans le bol. Épépiner avec la pointe d'un couteau, puis couper les segments en deux sur la largeur. Pour trancher les oranges, les couper sur la largeur en tranches fines, puis épépiner avec la pointe d'un couteau.

Répartir également entre 4 bols à dessert ou petits verres le fromage d'abord, les morceaux d'oranges ensuite. Parsemer uniformément de pistaches et de graines de grenade, si désiré, puis arroser chaque bol d'une c. à soupe de miel ; servir immédiatement.

Servir avec du vin
Un rosé de type Bandol, un vin pétillant tel que prosecco ou *cava* ou un Sauvignon Blanc

Galette fermière aux pommes et au cheddar

8 PORTIONS

Voici ma version de la tarte aux pommes que je mangeais enfant, garnie d'une épaisse tranche de cheddar. J'utilise de la pâte feuilletée pour une croûte plus légère, je laisse tomber le moule pour obtenir une galette à forme libre et je mélange des Granny Smith de mon verger avec des Goldens sucrées pour une profondeur de saveurs.

1 feuille de pâte feuilletée surgelée, environ ½ lb (250 g), dégelée selon les indications de l'emballage

farine tout usage pour saupoudrer

¼ tasse (2 ½ oz/75 g) de confiture d'abricots

1 ½ lb (750 g) de pommes (environ 2 grosses), pelées, coupées en deux, évidées et coupées sur la longueur en tranches de ⅛ po (3 mm)

4 c. à soupe (2 oz/60 g) de sucre

1 c. à soupe de jus de citron frais

¼ lb (125 g) de Cheddar Caron 3 ans, râpé

2 c. à soupe de lait entier

Déplier la feuille de pâte feuilletée. Sur une surface légèrement farinée, l'abaisser en un carré de 12 po (30 cm). À l'aide d'un couteau aiguisé, arrondir les coins pour faire un cercle de 12 po (30 cm). Disposer le cercle sur une feuille de papier parchemin et transférer sur une plaque à pâtisserie. Pincer les bords pour former un rebord généreux de ¼ po (6 mm). Étendre la confiture sur la pâte et mettre au congélateur 10 min.

Entre-temps, dans un bol, mélanger les tranches de pomme avec 2 c. à soupe de sucre et le jus de citron et enduire les pommes du mélange. Retirer la pâte du congélateur et parsemer de fromage. Disposer les tranches de pomme en cercles concentriques par-dessus, en les faisant se chevaucher. Saupoudrer les pommes avec les 2 c. à soupe de sucre restant. Badigeonner avec le lait. Retourner au congélateur 10 min. Préchauffer le four à 375°F (190°C).

Cuire la galette au four environ 30 min jusqu'à ce que la pâtisserie soit légèrement gonflée et dorée et que les pommes soient légèrement dorées. Recouvrir lâchement avec un papier d'aluminium et laisser refroidir 5 min sur une plaque à pâtisserie. À l'aide d'un long couteau, décoller la galette du papier parchemin et transférer dans une assiette de service. Servir tiède ou à température de la pièce.

Servir avec du vin
Viognier vendanges tardives ou Riesling

Blinis au fromage, compote de petits fruits

Un fromage fermier doux et faible en gras, édulcoré avec du sucre, voilà la farce typique pour les blinis. On peut utiliser un fromage friable ou ferme, faute de mieux. Ces petites bouchées exigent un certain temps de préparation mais le résultat ne déçoit pas. Ajoutez une compote de cerises ou de petits fruits pour un succès garanti.

POUR LES BLINIS

1 tasse (5 oz/155 g) de farine tout usage

½ c. à thé de sel de mer

3 gros œufs

¾ tasse (6 oz liq./180 ml) de lait entier

3 c. à soupe de beurre non salé, fondu, et un peu plus à température de la pièce pour frire

POUR LA FARCE

1 tasse (8 oz/250 g) de fromage fermier ou Saint-Paulin du Village

1 tasse (8 oz/250 g) de ricotta Saputo de lait entier

2 c. à soupe de sucre

¼ c. à thé de zeste d'orange râpé

½ c. à thé d'extrait de vanille

4 c. à soupe (2 oz/60 g) de beurre non salé

Compote de cerises (page 48) ou compote du commerce

Pour préparer la pâte à blinis, dans un bol, mélanger la farine avec le sel. Ajouter les œufs, le lait et ¾ tasse (6 oz liq./180 ml) d'eau et fouetter jusqu'à ce que le mélange soit lisse ; incorporer les 3 c. à soupe de beurre fondu en fouettant. Recouvrir et réfrigérer 1 h. Autrement, mélanger les premiers ingrédients dans un robot culinaire et actionner environ 4 secondes jusqu'à ce que le mélange soit lisse ; ajouter ensuite le beurre fondu et mélanger. Verser dans un bol, recouvrir et réfrigérer 20 min.

Pour cuire les blinis, chauffer une grande poêle à feu moyen jusqu'à ce qu'une goutte d'eau à la surface grésille et s'évapore. Badigeonner avec environ ½ c. à thé de beurre à température de la pièce, puis verser ¼ tasse (2 oz liq./60 ml) de pâte au centre. Tourner la poêle pour couvrir le fond uniformément. Cuire 1 ½ - 2 min jusqu'à ce que les bords commencent à dorer et que le dessus soit pris. Retourner et cuire environ 1 min de plus. Transférer dans une assiette. Répéter pour faire environ 12 blinis au total, en beurrant la poêle au besoin et en empilant les blinis cuits intercalés de papier ciré.

Pour préparer la farce au fromage, dans un bol, mélanger les fromages, le sucre, le zeste d'orange et la vanille.

Pour assembler les blinis, étendre 2 ½ c. à soupe combles de farce au centre de chaque blini. Replier les côtés, puis les extrémités, pour former un rectangle et envelopper la farce. Dans une grande poêle à feu moyen, faire fondre 2 c. à soupe de beurre. Lorsqu'il grésille, ajouter la moitié des blinis, le joint vers le bas, et cuire 2 min jusqu'à ce qu'ils soient légèrement dorés. Retourner délicatement et cuire le deuxième côté environ 2 min. Transférer dans des assiettes individuelles. Servir chauds avec la compote.

Pouding aux figues séchées et à la ricotta fraîche

La ricotta est idéale autant pour les pâtes farcies que pour les desserts. Même si ce pouding aromatisé au clou de girofle et cuit dans une croûte au gingembre peut être servi tel quel, j'ajoute des figues séchées gonflées au sirop de marsala pour le rendre encore plus attrayant. Toute variété de figue convient ici ; j'utilise la Black Mission de mes figuiers.

beurre non salé pour graisser

1 c. à soupe de chapelure fine de biscuits secs au gingembre

3 gros œufs

2 tasses (1 lb/500 g) de ricotta Saputo de lait entier

3 c. à soupe de sucre

1 c. à thé de clou de girofle moulu

1/8 c. à thé de sel de mer

8 -10 figues séchées, équeutées, coupées sur la longueur en quartiers

1 tasse (8 oz liq./250 ml) de marsala doux

Préchauffer le four à 375°F (190°C). Beurrer un moule à tarte de 9 po (23 cm). Parsemer de chapelure au gingembre, en secouant le moule pour une distribution uniforme.

Dans un mélangeur ou robot culinaire, mélanger les œufs avec le fromage, le sucre, le clou de girofle et le sel jusqu'à obtention d'une texture lisse. Verser dans le moule préparé. Cuire au four environ 25 min jusqu'à ce que la croûte soit légèrement gonflée et légèrement dorée. Laisser refroidir complètement sur une grille.

Dans une casserole, mélanger les figues et le marsala. Laisser reposer 10 min, puis mettre sur un feu moyen, porter à ébullition lente et cuire environ 10 min jusqu'à ce que les figues soient tendres.

Pour servir, couper le pouding en pointes et le répartir entre 4-6 assiettes de dessert. Verser les figues chaudes et le jus sur chaque portion.

Servir avec du vin
Un vin acide tel qu'un Riesling sec ou un Sauvignon Blanc

Pecorino rôti au miel
et aux noix

Cuit au four, le fromage pecorino devient fondant et onctueux et ajoute de l'intérêt à l'habituel plateau de fromages. Le filet de miel ajoute une douceur au goût salé du fromage et les noix rôties rendent ce simple dessert sublime. Servez-le avec du pain croûté.

½ tasse (2 oz/60 g) de moitiés de noix de Grenoble

½ lb (250 g) de fromage Pecorino ou Etorki

¼ tasse (3 oz/90 g) de miel

Préchauffer le four à 350°F (180°C). Étendre les noix en une couche dans un moule à tarte ou sur une petite plaque à pâtisserie à rebords. Rôtir environ 10 min, en remuant à l'occasion, jusqu'à ce que les noix dégagent un arôme et soient légèrement dorées. Retirer du four et réserver.

Entre-temps, couper le fromage en tranches de ¼ po (6 mm) et les disposer dans un petit plat de cuisson en les faisant se chevaucher. Cuire au four environ 10 min jusqu'à ce que le fromage fonde et commence à dorer.

Retirer du four, parsemer de noix et arroser de miel. Servir chaud.

Essayer avec d'autres fromages
Parmigiano-Reggiano, Grana Padano ou Bella Lodi

Servir avec du vin ou de la liqueur
Un vin de dessert tel que vin santo ou muscat, un xérès sec tel que Manzanilla, un rouge moyennement charnu tel que Chianti ou un digestif sur glace tel que Cynar ou Ramazzotti

Tartelettes de prunes au gingembre et au chèvre

Même mon mari, qui en général boude les desserts, raffole de ces tartelettes croquantes à peine sucrées au fromage et aux fruits juteux. Vous pouvez utiliser des nectarines, des pêches ou des pommes tranchées finement au lieu des prunes. Servez chacune avec une boule de crème glacée ou de gelato.

1 feuille (½ paquet) de pâte feuilletée surgelée, dégelée selon les indications de l'emballage

farine tout usage pour saupoudrer

¼ lb (125 g) de fromage de chèvre Capriny ramolli

½ tasse (4 oz/125 g) plus 1-2 c. à soupe de sucre

1 gros œuf

½ tasse (4 oz liq./125 ml) de crème épaisse

2 c. à thé de gingembre confit émincé

¼ c. à thé de gingembre moulu

3-4 prunes, dénoyautées et coupées en tranches de ¼ po (6 mm)

Préchauffer le four à 375°F (190°C). Tapisser une plaque à pâtisserie de papier parchemin. Déplier la feuille de pâte feuilletée. Sur une surface légèrement farinée, abaisser en un rectangle de 9 x 13 po (23 x 33 cm) d'une épaisseur de ⅛ po (3 mm). À l'aide d'un emporte-pièce, découper 6 carrés de 3 ½ po (9 cm). Transférer les carrés sur la plaque préparée. Pincer les bords pour façonner un rebord généreux de ½ po (12 mm). Mettre les pâtisseries au congélateur 15 min.

Dans un bol, fouetter le fromage avec ½ tasse de sucre, l'œuf, la crème et le gingembre confit et moulu pour faire une pâte lisse. Étendre au fond des carrés de pâtisserie. Disposer les tranches de prune pour faire un motif attrayant. Saupoudrer 1-2 c. à soupe de sucre uniformément sur les prunes.

Cuire au four environ 30 min jusqu'à ce que la pâtisserie soit gonflée et dorée et les prunes tendres et légèrement dorées. Recouvrir lâchement avec un papier d'aluminium et laisser refroidir 10 min. À l'aide d'une spatule, transférer les tartelettes dans des assiettes individuelles. Servir chaudes.

Servir avec du vin
Un blanc vif tel que Sancerre ou Grüner Veltliner

Crostata au mascarpone, aux amandes et aux abricots

Lorsque les abricots sont à leur meilleur, je les utilise le plus possible, pour préparer cette crostata froide, par exemple. Les fromages sont mélangés pour former une garniture épaisse que l'on verse dans la croûte aux amandes ; une fois refroidi, le tout est garni de fruits frais et de noix.

POUR LA CROÛTE

½ tasse (2 ½ oz/75 g) d'amandes mondées

½ tasse (4 oz/125 g) de beurre non salé

1 tasse (5 oz/155 g) de farine tout usage

¼ tasse (2 oz/60 g) de sucre

POUR LA GARNITURE

6 oz (185 g) de fromage à la crème, ramolli

1 tasse (8 oz/250 g) de mascarpone Saputo

¼ tasse (2 oz/60 g) de crème fraîche

¼ tasse (2 oz/60 g) de sucre

¼ c. à thé d'extrait d'amande

6-8 abricots, dénoyautés et tranchés finement

½ tasse (5 oz/155 g) de gelée ou de confiture d'abricots réchauffée

¼ tasse (1 ½ oz/45 g) d'amandes effilées, grillées

Pour préparer la croûte, dans un robot culinaire ou mélangeur, hacher finement les amandes jusqu'à consistance d'une chapelure grossière. Dans une grande poêle à feu moyen-vif, faire fondre le beurre. Lorsqu'il mousse, ajouter la farine, le sucre et les amandes et cuire 3-4 min, en remuant à l'occasion, jusqu'à ce que le mélange soit légèrement doré et friable. Le laisser refroidir jusqu'à ce qu'il soit manipulable, puis le presser dans le fond et sur les parois d'un moule à charnière de 9 po (23 cm). Réfrigérer au moins 2 h ou jusqu'au lendemain.

Pour préparer la garniture, dans un bol, à l'aide d'un batteur électrique, battre le fromage à la crème, le mascarpone, la crème fraîche, le sucre et l'extrait d'amande jusqu'à consistance lisse. Étendre le mélange dans la croûte refroidie. Recouvrir et réfrigérer jusqu'au lendemain.

Juste avant de servir, démouler la crostata et la déposer dans une assiette de service. Disposer les tranches d'abricot sur la garniture en cercles concentriques en les faisant se chevaucher. Badigeonner les abricots de gelée chaude pour les glacer. Parsemer d'amandes et servir immédiatement.

Servir avec du vin
Un vin pétillant tel que prosecco ou *cava* ou un rosé refroidi

Petits gâteaux au chocolat, marbrés au fromage blanc

Ces petits gâteaux légers et aérés sont faciles à préparer et pas trop sucrés. Les tout-petits, dont ma petite-fille Oona, adorent faire les marbrures. Le fromage blanc ajoute du moelleux à la pâte en même temps qu'un petit goût piquant et un attrait visuel au produit fini.

POUR LES MARBRURES

¼ tasse (2 oz/60 g) de sucre

2 c. à soupe de beurre, à température de la pièce

1 gros œuf

1 c. à soupe de farine tout usage

⅔ tasse (5 oz/155 g) de fromage blanc ou Chèvre des Neiges

POUR LA PÂTE

1 ¾ tasse (9 oz/280 g) de farine tout usage

1 ¼ tasse (10 oz/315 g) de sucre

1 c. à thé de bicarbonate de soude

½ c. à thé de sel

1 tasse (8 oz/250 g) de crème sure

6 c. à soupe (3 oz/90 g) de beurre, à température de la pièce, coupé en morceaux de ½ po (12 mm)

1 c. à thé d'extrait de vanille

3 oz (90 g) de chocolat 70% cacao mi-amer, haché grossièrement

2 gros œufs

Préchauffer le four à 350°F (180°C). Chemiser 24 moules à muffin de moules en papier. Pour préparer le mélange à marbrures, dans un bol, battre le sucre et le beurre jusqu'à consistance lisse. Incorporer l'œuf en battant, puis ajouter la farine et le fromage. Battre de nouveau jusqu'à consistance lisse. Réserver.

Pour préparer la pâte, dans un bol, mélanger la farine, le sucre, le bicarbonate de soude et le sel. Dans un autre bol, battre la crème sure, le beurre et la vanille jusqu'à consistance lisse. Mettre le chocolat dans un bain-marie au-dessus d'une eau frémissante et remuer jusqu'à ce qu'il soit fondu. Laisser refroidir 1-2 min. Ajouter le mélange de crème sure, les œufs et ¼ tasse (2 oz liq./60 ml) d'eau chaude au mélange de farine ; incorporer le chocolat en battant.

Verser la pâte dans les moules pour les remplir aux deux tiers, en réservant ½ tasse (4 oz liq./125 ml) de pâte. Garnir chacun d'une cuillérée comble de mélange au fromage. Tremper la lame d'un couteau dans la pâte, sous le mélange au fromage, soulever la lame et tourner pour faire des marbrures. Ajouter 1 c. à thé de la pâte réservée sur chaque muffin et tourner de nouveau pour faire des marbrures. Cuire au four 15-20 min jusqu'à ce qu'ils soient gonflés et qu'un cure-dent inséré au centre ressorte propre. Laisser refroidir complètement sur une grille avant de démouler.

Essayer avec d'autres fromages
Ricotta Saputo de lait entier ou mascarpone Saputo

Gâteau au fromage citronné

Assurez-vous d'utiliser de la ricotta au lait entier pour ce gâteau léger à l'italienne. C'est le dessert préféré chez nous pendant les vacances de Noël et je le prépare avec des citrons Meyer qui poussent dans la cour attenante à la cuisine. On peut aussi utiliser des citrons Lisbon ou Eureka qui confèrent au gâteau un goût légèrement plus piquant.

POUR LA CROÛTE

6 oz (185 g) de biscuits secs au gingembre, et un peu plus au besoin

1 ¼ tasse (5 oz/155 g) de moitiés de noix de Grenoble

¼ tasse (2 oz/60 g) de sucre

5 c. à soupe (2 ½ oz/75 g) de beurre non salé, ou au besoin, fondu

POUR LA GARNITURE

½ lb (250 g) de fromage à la crème, ramolli

1 tasse (8 oz/250 g) de ricotta de lait entier

1 tasse (8 oz/250 g) de sucre

4 gros œufs, séparés, à température de la pièce

⅔ tasse (5 oz liq./160 ml) de crème épaisse

zeste finement râpé de 2 citrons, plus ¼ tasse (2 oz liq./65 ml) de jus de citron frais

1 c. à thé d'extrait de vanille

⅛ c. à thé de sel

sucre glace pour saupoudrer (facultatif)

Préchauffer le four à 325°F (165°C). Dans un robot culinaire, moudre les biscuits au gingembre. Transférer dans un bol. Moudre finement les noix au robot puis ajouter à la chapelure de biscuit. (Pour une croûte sans noix, remplacer les noix par 4 oz/60 g de biscuits au gingembre.) Ajouter le sucre, le beurre fondu et bien mélanger, en ajoutant plus de beurre si la chapelure ne colle pas. Transférer dans un moule à charnière de 9 po (23 cm) et presser dans le fond et sur les parois jusqu'à 1 ½ po (4 cm). Cuire au four 8-10 min jusqu'à ce que la croûte soit légèrement dorée. Laisser refroidir, puis mettre au congélateur jusqu'à l'utilisation.

Dans un robot culinaire propre, mélanger les fromages avec le sucre, les jaunes d'œuf, la crème, le zeste et jus de citron, la vanille et le sel, 4-5 min jusqu'à consistance crémeuse et verser dans un grand bol. Battre les blancs d'œuf jusqu'à formation de pics durs, à l'aide d'un batteur électrique. Les plier délicatement dans le mélange au fromage avec une spatule en caoutchouc pour les incorporer. Verser la préparation dans la croûte refroidie réservée, en lissant le dessus.

Déposer le moule sur une plaque à pâtisserie tapissée de papier d'aluminium et cuire au four 30 min à 300°F (150°C). Augmenter la température du four à 325°F (165°C) et cuire 30-35 min jusqu'à ce que le dessus soit doré, que les bords soient fermes et que le centre soit encore frémissant. Éteindre le four, ouvrir la porte et laisser le gâteau au four 3 h (le centre va s'affaisser légèrement). Recouvrir de façon hermétique avec une pellicule plastique (sans toucher à la surface) et réfrigérer au moins 4 h ou jusqu'à 24 h. Pour démouler, glisser un couteau sur le pourtour pour le décoller du moule, puis retirer la charnière. Si désiré, saupoudrer de sucre glace. Pour servir, couper en pointes, en trempant un couteau dans de l'eau chaude et en l'essuyant chaque fois avant de couper.

Poires pochées au vin rouge au gorgonzola

Voici un dessert discrètement sophistiqué : des poires pochées au vin parsemées de copeaux de gorgonzola crémeux et de noix au vif goût du terroir. J'aime servir ces poires avec des biscottis nature, pour tremper dans le jus et pour tartiner avec le fromage, et des verres de xérès.

4 poires mûres mais fermes telles que Bosc ou Anjou, environ 1 ½ lb (750 g) au total

1 ½ tasse (12 oz liq./ 375 ml) de vin rouge sec tel que Merlot ou Pinot Noir

2 c. à soupe de sucre

¼ lb (125 g) de fromage Gorgonzola ou Bleubry mou

1 tasse (4 oz/125 g) de moitiés de noix de Grenoble, entières ou hachées grossièrement

Couper les poires en deux sur la longueur, en laissant la queue intacte sur une moitié, puis évider pour faire une petite cavité ronde (une cuillère à melon est utile ici). Retirer le filament qui coure de la queue à la cavité. Couper en deux ou en quatre sur la longueur, ou les trancher finement.

Dans une poêle ou casserole suffisamment grande pour contenir les poires en une couche, mélanger le vin et 2 c. à soupe de sucre. Porter à ébullition à feu moyen, en remuant pour dissoudre le sucre. Augmenter le feu à vif et cuire 3-4 min jusqu'à formation d'un sirop léger. Réduire le feu à doux, ajouter les poires et pocher 15-20 min, en tournant les poires à plusieurs reprises, jusqu'à ce qu'elles soient tout juste tendres. Attention de ne pas trop les cuire sinon elles vont s'écraser.

Transférer les poires et le sirop dans un bol non réactif (acier inoxydable ou verre) et laisser reposer plusieurs heures à température de la pièce, en les tournant de temps en temps. Elles vont prendre la couleur du vin.

Pour servir, répartir les poires entre 8 assiettes individuelles. Mettre une quantité égale de morceaux de Gorgonzola sur chaque portion, et verser un peu de sirop autour des poires. Parsemer de noix et servir immédiatement.

Servir avec du vin
Un rouge moyennement charnu tel que Dolcetto d'Alba, un xérès avec une pointe de douceur ou un Sauvignon Blanc vendanges tardives

Chèvre et fraises glacées à la menthe et au balsamique

J'aime le chèvre pour sa saveur et sa polyvalence. Lorsque je vivais en France, j'en fabriquais pour le vendre. On peut l'utiliser pour tous les services, du hors d'œuvre jusqu'au dessert, et il convient à presque tous les mets, sucrés ou salés. On peut le rendre plus léger en y ajoutant de la crème fouettée.

6 oz (185 g) de chèvre mou, à température de la pièce

¼ tasse (2 oz liq./60 ml) de crème épaisse

¾ tasse (6 oz/185 g) de sucre

¼ tasse (2 oz liq./60 ml) de vinaigre balsamique

2 c. à soupe de menthe fraîche émincée, et un peu de menthe finement ciselée pour garnir

environ 1 lb (500 g) de fraises, coupées en deux ou en quatre, ou tranchées si plus grosses

Dans un bol, à l'aide d'un batteur électrique, battre le fromage avec la crème et ¼ tasse (2 oz/60 g) de sucre jusqu'à consistance légère. Réserver.

Dans une casserole à feu moyen-vif, mélanger ½ tasse (4 oz liq./125 ml) d'eau et la ½ tasse (4 oz/125 g) de sucre restant. Porter à ébullition en remuant pour dissoudre le sucre. Faire bouillir environ 5 min jusqu'à consistance sirupeuse. Ajouter le vinaigre et laisser bouillir 1-2 min de plus jusqu'à ce que le mélange nappe le dos d'une cuillère en métal. Retirer du feu et incorporer la menthe émincée.

Pour servir, répartir le mélange au fromage également entre 6 assiettes ou bols à dessert. Disposer les fraises à côté et arroser de sirop. Garnir le mélange au fromage de menthe ciselée et servir immédiatement.

=========== ◉ ===========

Servir avec du vin
Un vin pétillant tel que prosecco ou *cava*, ou un rosé sec

Fruits d'été rôtis, crème ricotta-vanille

Voici un des meilleurs desserts d'été que je connaisse, de plus il est tout simple. Une bouchée de fruits rôtis légèrement caramélisés, c'est comme manger une croustade sans la croûte. La ricotta arrosée de miel est une idée subtile et délicieuse qui donne au plat sa texture onctueuse.

1 tasse (8 oz/250 g)
de ricotta Saputo
de lait entier

¼ tasse (2 oz/60 g)
de crème fraîche

½ c. à thé d'extrait de vanille

6 c. à soupe (3 oz/90 g)
de sucre

2 pêches

2 nectarines

3 prunes

8 figues fraîches

environ ½ lb (250 g)
de cerises (facultatif)

1 c. à soupe d'huile d'olive
extra-vierge

miel, pour servir

Préchauffer le four à 475°F (245°C). Dans un bol, mélanger le fromage avec la crème fraîche, la vanille et 2 c. à soupe de sucre. Recouvrir et réfrigérer jusqu'à l'utilisation.

Couper les pêches, nectarines et prunes en deux et dénoyauter. Couper les moitiés en deux, si désiré. Équeuter les figues et les laisser entières. Laisser les cerises entières, le cas échéant. Mélanger tous les fruits dans une rôtissoire assez grande pour les contenir en une couche, arroser d'huile d'olive et les tourner pour les enduire d'huile. Saupoudrer avec les 4 c. à soupe (2 oz/60 g) de sucre restant et tourner à quelques reprises.

Rôtir 15-20 min jusqu'à ce que les fruits soient légèrement flétris et dorés ou légèrement noircis.

Pour servir, verser les fruits et le jus de cuisson dans un bol de service ou des bols de dessert individuels. (Les figues peuvent être coupées en deux ou en quatre sur la longueur, si désiré ; prévenir les invités de la présence de noyaux dans les cerises, le cas échéant.) Répartir le mélange de ricotta entre les bols et incorporer un peu de miel dans chaque portion. Disposer la ricotta au côté des fruits et servir immédiatement.

Servir avec du vin
Un vinho verde ou Sancerre pour le blanc, ou un rosé

Les ustensiles

La râpe multi faces

Un outil indispensable dans une cuisine, cette râpe en acier inoxydable offre 4 à 6 différentes surfaces de râpage. On y trouve habituellement des petits trous pour râper finement, des trous moyens et gros pour déchiqueter et des fentes larges pour les copeaux. On peut l'utiliser sur une grande variété de fromages, aussi bien le Gruyère semi-ferme que le Pecorino bien vieilli.

Les planches à fromages

Les matières naturelles sont idéales pour servir les fromages, non seulement parce que leur allure convient aux produits artisanaux fabriqués avec soin, mais aussi parce qu'elles résistent bien à la coupe. Une planche en bois est toujours un bon choix. Le marbre est une autre option classique : il rappelle le persillage du bleu et conserve la fraîcheur des fromages. L'ardoise est un matériau qui gagne en popularité. Vous pouvez y inscrire les noms des fromages à la craie pour une présentation réussie.

Les couteaux à fromages

Souvent vendus par jeux, les couteaux à fromages et à tartiner varient en forme selon le type de fromage pour lequel ils sont conçus.

Couperets : Un modèle réduit du couperet pour boucher a son utilité sur un plateau de fromages ; sa large lame aiguisée est idéale pour couper les fromages semi-fermes comme le Havarti ou le Gouda en tranches égales. Les petits couteaux aiguisés qui ressemblent à des grattoirs font partie de la famille des couperets et sont particulièrement utiles pour trancher des pointes fermes (tenez le manche à la verticale pour une meilleure coupe).

Fourches à fromages : Un couteau muni de fourches, il est sans doute l'ustensile à fromage le plus courant. Il combine deux fonctions : la coupe et le service, permettant aux invités de trancher et de transférer avec un seul et même ustensile. Les fourches à fromages conviennent à tout type de fromage. Les jeux de couteaux comprennent souvent de simples fourches (sans lame).

Couteaux à fromages durs : Ces couteaux robustes sont conçus pour couper les fromages vieillis durs et sont donc nécessairement plus aiguisés et plus résistants. Les lames sont triangulaires ou en forme de feuille, avec des pointes pour percer.

Couteaux à fromages mous : Ces couteaux minimisent la surface de contact pour empêcher les fromage triple crème onctueux comme l'Explorateur de coller à la lame. Ils sont parfois très sveltes et les nouveaux modèles sont ajourés pour réduire la surface davantage.

Couteaux à tartiner : Ils sont émoussés comme un couteau à beurre mais avec une pointe arrondie. Utilisés pour tartiner les fromages crémeux comme les chèvres.

Les tranchettes

Une tranchettes ressemble à une petite spatule triangulaire. Une fente coupante à la base permet de couper de fines tranches en raclant le fromage avec un mouvement régulier. On les réserve pour les fromages fermes et semi-fermes ; les fromages mous ne passent pas aussi facilement dans la fente.

Les râpes à manche

Cet ustensile était à l'origine conçu pour travailler le bois mais s'est rapidement taillé une place dans la cuisine pour râper les fromages durs tels que le Parmigiano-Reggiano. Les râpes ont habituellement un manche et sont longues et étroites ou en forme de palette. Les surfaces de coupe et les trous sont de divers types ; certains modèles ont des lames interchangeables.

Les fils à découper

Un fil peut facilement trancher un fromage dur pour obtenir des tranches égales de cheddar ou de Jack, par exemple – idéal pour les sandwichs. La forme varie d'un simple outil manuel du style épluche-légumes à des modèles plus sophistiqués munis d'une planche à découper. Dans ce dernier cas, on abaisse un levier pour passer le fil dans le fromage. Il y a aussi des lyres qu'on utilise à la verticale pour trancher comme une guillotine.

Glossaire

Affinage

L'art de faire vieillir le fromage est l'une des étapes les plus essentielles dans sa fabrication. Un affineur est la personne qui veille sur le vieillissement des fromages. Certains producteurs envoient leurs fromages à des affineurs spécialisés pour la finition.

AOC

L'appellation d'origine contrôlée est le système de réglementation française pour les vins, les fromages et d'autres produits agricoles qui jouissent d'une protection régionale. Par exemple, pour qu'un fromage soit officiellement reconnu Roquefort, il doit être affiné dans des caves à Roquefort-sur-Soulzon d'après des normes spécifiques. La DOP (ou *Denominazione di origine protetta*) est l'équivalent italien et la DO (ou *Denominación de Origen*) est utilisée en Espagne mais aucun autre système n'est aussi complet que l'AOC.

Artisanal (voir aussi la page 8)

Antithèse de la production de masse, ce terme désigne la fabrication locale de fromages en petites quantités. Il évoque l'art de la fabrication, le respect pour les matières premières, une appartenance à un lieu et une sensibilité saisonnière.

Bactéries

Les micro-organismes unicellulaires qui existent en tout lieu et qui sont essentiels à la fabrication du fromage. Elles influent sur le vieillissement, l'élaboration de la saveur et la culture des moisissures sur la croûte. Les producteurs favorisent la croissance de bactéries particulières à la surface de certains fromages pour produire une croûte fleurie ou lavée.

Bleu

Un fromage abritant une moisissure interne habituellement bleue ou verte qui produit un persillage. Le Stilton et le Gorgonzola sont deux des fromages bleus les plus connus.

Caillé

Lors de la séparation du lait, les solides sont appelés le caillé et le liquide est le petit-lait. La formation du caillé est la première étape dans la fabrication de la plupart des fromages. Certains caillés sont consommés tels quels, la ricotta par exemple ; d'autres sont égouttés et pressés pour faire des fromages plus fermes. Si le caillé est coupé puis pressé, la texture qui en résulte est ferme et lisse. Les caillés «cuits» avant le pressage produisent les fromages les plus durs tels que le Parmigiano-Reggiano. Voir aussi *Étirement du caillé*.

Cave

Une chambre souterraine ou un sous-sol utilisé pour affiner les fromages. À l'origine, ils étaient affinés dans des cavernes naturelles mais de nos jours, les caves sont munies de régulateurs d'humidité et de température.

Croûte

La surface extérieure d'un fromage, par opposition à la pâte. De nombreuses croûtes sont comestibles. Les fromages enveloppés dans de la cire ou d'autres matériaux ne produisent pas de croûte ; les fromages frais n'ont pas le temps d'en former une.

Croûte fleurie

Il s'agit de la croissance de moisissures sur la croûte d'un fromage. Un fromage à croûte fleurie comporte une croûte comestible recouverte d'une moisissure qui donne la saveur.

Croûte lavée

Un terme qui désigne un fromage que l'on baigne régulièrement dans de l'eau, de la saumure, du vin, de l'eau-de-vie, de l'huile ou d'autres liquides. Cela permet de conserver l'humidité de la croûte et favorise la croissance de bactéries rouge orangé bénéfiques.

Croûte naturelle

Une croûte qui se forme naturellement sur l'extérieur d'un fromage sans agents de vieillissement ou autres types d'additifs.

Double crème

Des fromages frais ou à croûte fleurie faits de lait additionné de crème et désignés double crème ou triple crème. Les double crème doivent contenir au moins 60 % de matières grasses. Voir aussi *Triple crème*.

Étirement du caillé

La texture élastique et filante de certains fromages vient de l'étirement du caillé frais pendant qu'il est encore chaud. Dépendant de la variété, ces fromages à caillé étiré sont consommés frais comme la mozzarella ou affinés comme le Provolone.

Fermentation

Une transformation chimique qui survient dans divers types d'aliments ; elle désigne le processus de conversion du lactose en acide lactique par l'action des bactéries. La crème sure, le yogourt et le fromage font l'objet d'une fermentation.

Fermier (voir aussi la page 8)

Un terme utilisé pour désigner les fromages fabriqués à la ferme avec le lait tiré des animaux élevés sur place.

Fromager

Celui qui fait ou vend des fromages.

Lait cru

Un lait qui n'a pas subi de pasteurisation. Voir aussi *Pasteurisation*.

Moisissures

Les moisissures sont des champignons qui prolifèrent sur les aliments. Les moisissures comestibles bénéfiques sont essentielles à la production de certains fromages. On ajoute des spores à la surface ou à l'intérieur de fromages tels que le Roquefort ou le Camembert pour la saveur et la texture. Les moisissures de surface mûrissent de l'extérieur vers l'intérieur ; les moisissures internes mûrissent en parcourant toute la pâte.

Pasteurisation (voir aussi la page 15)

Le processus par lequel le lait cru est chauffé à une température suffisamment élevée pour tuer les bactéries nuisibles. Malheureusement, certaines bactéries bénéfiques sont éliminées par la même occasion, ce qui explique le goût plus complexe des fromages au lait cru.

Pâte

L'intérieur d'un fromage, par opposition à la croûte.

Penicillium

La souche principale de divers champignons utilisés pour la fabrication d'une croûte fleurie sur certains fromages comme le brie (P. candidum), ou pour persiller l'intérieur du Roquefort (P. roquefortii), par exemple.

Petit-lait

Le liquide qui demeure après la séparation du lait en caillé. Voir aussi *Caillé*.

Pressage (voir aussi la page 13)

Certains fromages sont pressés pendant l'affinage pour extraire davantage d'humidité (le petit-lait). Il en résulte un fromage plus sec et plus ferme. Les fromages les plus durs sont pressés et vieillis sur de longues périodes.

Présure

La présure fait coaguler le lait qui sépare le caillé du petit-lait. Elle provient de l'estomac des veaux, des moutons ou des chèvres. (Une légende prétend que le fromage a été inventé par un Arabe qui traversait le désert avec du lait conservé dans un estomac d'animal pour s'apercevoir qu'il était devenu un solide comestible.) De nos jours, on utilise aussi de la présure végétale.

Rocou

Un colorant alimentaire naturel provenant des graines rouges du rocouyer, le rocou est utilisé pour donner une teinte orangée à de nombreux fromages dont le cheddar et le Red Leicester.

Terroir

Ce terme désigne l'apport unique d'un lieu particulier et ses éléments naturels dans la définition du caractère d'un fromage. Le climat, le sol, la topographie, les minéraux, les cultures et même le degré de contentement des bêtes sont tous des facteurs. Les fromages industriels sont évidemment exclus ici.

Coton à fromage

Certains fromages dont les cheddars artisanaux sont enveloppés dans un morceau de tissu à mailles grossières pendant l'affinage. Contrairement à la cire ou au plastique, la toile permet au fromage de respirer et produit une croûte naturelle au goût intense.

Triple crème

Un fromage qui contient plus de 75 % de matières grasses. Voir aussi *Double crème*.

Vieillissement

Appelé aussi mûrissement, le vieillissement est la conservation de fromages dans un milieu contrôlé pour élaborer la saveur et la texture. En général, plus un fromage vieillit, plus il perd de son petit-lait (humidité) et devient plus ferme, plus sec et plus savoureux.

Yeux

Les trous à l'intérieur d'un fromage suisse, Jarlsberg, Emmental et Havarti, entre autres. Les yeux sont produits par des gaz de fermentation qui sont relâchés pendant le mûrissement.

Accompagnements pour le fromage

Pain, craquelins et pâtisseries

Presque tout type de pain ou de craquelin convient au fromage. Les tranches de baguette vont de soi pour la plupart des fromages, du Munster à croûte lavée bien piquant au chèvre mou, en passant par un cheddar friable. Les crostinis sont un bon choix pour tout fromage mou.

Baguette, pain campagnard ou focaccia ; bâtonnets de pain ; crostinis aux fines herbes ou nature ; craquelins aux graines ou de grains entiers, biscuits secs ; biscuits, scones ou gâteau aux figues et aux noix.

Charcuteries

Les charcuteries complètent particulièrement bien les fromages durs et semi-fermes comme le cheddar, le Parmesan et le Pecorino mais également les fromages mous et frais. Assemblez une assiette de fromages et de charcuteries ou réunissez un fromage et une viande d'une même région ou d'un même pays : mozzarella et prosciutto, Manchego et jambon *serrano*.

Jambon de Bayonne, coppa, prosciutto, salami, lorno, jamón ibérico, jamón serrano.

Fruits séchés

Les fruits séchés au goût plus robuste que les fruits frais ajoutent de la saveur et une texture agréable sous la dent aux plateaux de fromages. Les fruits à noyau séchés tels qu'abricots, nectarines et pêches sont délicieux avec les cheddars ; les dattes sont un bon choix pour le Grana Padano ou le Pecorino ; enfin les figues vont bien avec les bleus et les fromages de chèvre.

Pommes, abricots, cerises, canneberges, dattes, figues, nectarines, raisins secs.

Fruits frais

Les fruits en saison, entiers ou coupés en deux, en quartiers ou en tranches, sont une excellente façon d'ajouter de la fraîcheur à une assiette de fromages. Les raisins sont un classique mais ne vous empêchez pas de choisir tout fruit peu importe le temps de l'année : des agrumes en hiver, des cerises au printemps, des fruits à noyau l'été et des figues, pommes et poires à l'automne.

Pommes, petits fruits, cerises, clémentines, figues, raisins, kumquats, nectarines, pêches, poires, prunes, grenades, tangerines.

Légumes frais

Pour ajouter du croquant et de la saveur et parfois humecter la bouche, ils complètent bien l'assiette de fromages. Choisissez un seul légume en saison, des radis printaniers ou des tomates d'été, coupez-les en quartiers et saupoudrez d'un peu de sel de mer ; autrement, préparez une variété de crudités. Jumelez-les à un ou plusieurs fromages de toute variété.

Asperges, brocoli, carottes, chou-fleur, céleri, fenouil, radis, pois mange-tout, tomates (patrimoniales), cerises.

Noix

Les noix au goût croquant conviennent à la plupart des fromages et à divers accompagnements tels que miel, tapenades, conserves de fruits et olives. Servez-les mondées, grillées ou épicées aux fines herbes et au sel (page 40). Pour un mariage sucré-salé réussi, servez des noix sucrées avec du fromage bleu.

Amandes, noisettes, pacanes, pistaches, noix de Grenoble.

Olives

Charnues et saumurées, les olives sont un complément naturel à tout fromage, de la féta au parmesan, de la mozzarella au cheddar, et vont bien avec d'autres accompagnements salés tels que les noix ou les charcuteries. Pour un assortiment d'inspiration espagnole, servez des Olives marinées tièdes (page 37) avec tout fromage espagnol tel que Garrotxa ou Manchego ; pour une assiette italienne, offrez des olives conservées dans l'huile avec du Pecorino.

Bella di Cerignola, Gaeta, Kalamata, Manzanilla, niçoises, Picholine, siciliennes.

Conserves et tartinades

Les tapenades salées et les beurres, confitures et marmelades sucrées aux fruits sont délicieux tartinés directement sur un morceau de fromage dur ou sur une baguette ou un craquelin avec un fromage mou. Voici quelques combinaisons possibles : légumes marinés et cheddar, nids d'abeille et Gorgonzola, coings et Manchego.

Pelures d'agrume confites, chutneys, compotes, pâte aux figues, fruits en conserve, miel, nids d'abeille, confitures, marmelades, pâte de coings (membrillo), légumes marinés, tapenades.

La connaissance des fromages

Abbaye de Belloc
semi-ferme | lait de chèvre | France
Inventé par des moines bénédictins, ce fromage ivoire avec une croûte brunâtre possède une texture dense et crémeuse et une saveur de caramel brûlé.

Abondance
semi-ferme | lait de vache | France
Le nom vient à la fois de la commune d'où il est originaire et de la race de bovins qui produisent le lait utilisé exclusivement dans sa fabrication. Le fromage Abondance, de couleur jaune pâle, est pressé dans de grandes meules qui produisent une croûte brun pâle. Il est parfois classé parmi les fromages durs mais ne convient pas au râpage.

Appenzeller
semi-ferme | lait de vache | Suisse
Lisse, dense et complexe, l'Appenzeller de couleur paille est un fromage pressé avec une longue histoire monastique. Une fine ligne bleu-gris ou brunâtre sous la croûte indique qu'il a baigné à plusieurs reprises dans une saumure aux fines herbes. Il est vendu à divers stades d'affinage : trois à quatre mois, quatre à six mois ou six mois et plus.

Ardrahan
semi-ferme | lait de vache | Irlande
Un fromage fermier semi-ferme qui regorge de saveur, à base de présure végétale. Fabriqué dans le comté de Cork en Irlande, il est exporté par la célèbre laiterie Neal's Yard de Londres.

Asiago
semi-ferme | lait de vache | Italie
L'Asiago jeune est fait de lait de vache entier et possède une texture élastique et une saveur et un arôme doux. La version vieillie, au lait de vache écrémé et affiné jusqu'à deux ans, a une texture granuleuse et un goût plus piquant quoique fruité.

Banon
croûte naturelle | lait de vache, de chèvre et de brebis | France
Une spécialité de Haute-Provence, ce petit fromage rond AOC, affiné pendant seulement deux semaines, est moelleux et agréablement piquant avec un goût de noisette. On le reconnaît aisément par son emballage aux feuilles de marronnier qui confèrent des notes boisées et fruitées.

Basajo
bleu | lait de brebis | Italie
Les habitants de Veneto insistent sur le fait que ce bleu au vin est né à la fin de la Première Guerre mondiale alors qu'un fermier avait caché ses fromages dans un tonneau de vin pour échapper à la confiscation par les troupes affamées. Il est plus probable, cependant, que ce fromage velouté, crémeux et doux s'inscrit dans la longue tradition italienne de mûrir les fromages dans du moût de raisin.

Beaufort
dur | lait de vache | France
Un fromage alpin dans le style du Comté (Gruyère), le moelleux Beaufort est un bon fromage fondant très populaire en fondue. Sa texture est lisse et son goût fruité, mais plus piquant que le Gruyère.

Bella Lodi
dur | lait de vache | États-Unis
Ce fromage est connu en France sous le nom de Parmesan noir à cause, justement, de sa croûte noire caractéristique.

Belle Crème
Pâte molle à croûte fleurie | lait de vache | Canada
Le Belle Crème est un brie triple crème crémeux et onctueux, il se distingue par sa croûte duveteuse à saveur de champignons et de noix selon la maturité du fromage et une légère note de sel.

Bethmale Vache
croûte lavée | lait de vache | France
Fabriqué au lait de vache cru dans le Midi-Pyrénées, ce fromage piquant semi-ferme a un onctueux goût de beurre et de champignons.

Bleu danois
bleu | lait de vache | Danemark
Créé au XXe siècle comme alternative bon marché au Roquefort, ce produit industriel est piquant, salé et robuste avec une consistance crémeuse.

Bleu d'Auvergne
bleu | lait de vache | France
Une croûte rouge orangé dissimule un intérieur ferme mais crémeux persillé de moisissures bleu-gris – celles-là mêmes utilisées pour le Roquefort. Ce bleu est plus jeune et plus doux que le Roquefort, toutefois, avec un goût franc et une texture crémeuse.

Bleu Stella
bleu | lait de vache | États-Unis
Le fromage bleu est fait à partir de lait de vache avec des injections sporadiques de *Pénicillium roquefortii* qui produit un fromage goûteux avec des veines bleues. Ce fromage bleu est âgé au d'au moins soixante jours.

Bleubry
bleu | lait de vache | Canada
Version douce des bleus, franc et fin, crémeux, équilibré en sel, issu du mariage entre pâte molle et semences de bleu.

Bocconcini
Pâte molle filée | Lait de vache| Canada
Les Bocconcinis Saputo sont des bouchées onctueuses et délicieuses de saveur laiteuse.

Le Bonaparte
Pâte molle à croûte fleurie | lait de vache | Canada
Le Bonaparte est un fromage double crème à pâte ivoire d'une souplesse remarquable et élaboré de façon à obtenir une croûte immaculée.

Boursin
frais | lait de vache | France
Le Boursin est facile à apprécier, ce qui veut dire que certains connaisseurs le boudent. Originaire de la Normandie, il est doux et vendu nature ou aromatisé aux fines herbes et à l'ail, aux piments ou à l'échalote et à la ciboulette. Sa texture varie de moelleuse et friable à dure et lisse.

Brescianella Stagionata
semi-ferme | lait de vache | Italie
Ce bijou carré de la Lombardie possède une croûte orangée fripée qui cache un fromage piquant, crémeux et coulant.

Brie
pâte molle à croûte fleurie | lait de vache | France
Le produit industriel est un pâle reflet de l'authentique fromage au lait non pasteurisé, affiné pendant moins de soixante jours. Le brie mûri possède une texture lisse pas tout à fait coulante, une croûte blanche sèche et fissurée et des notes de champignons. Le produit trop mûr sent l'ammoniaque.

Brie d'Alexis
pâte molle à croûte fleurie | lait de vache | Canada
Le Brie d'Alexis double crème a une pâte souple et crémeuse au doux parfum de noix.

Brie de Portneuf
pâte molle à croûte fleurie | lait de vache | Canada
Le Brie de Portneuf est un brie régulier à croûte duvetée de blanc, pâte souple, légèrement fruité.

Brie Double Crème de Portneuf
pâte molle à croûte fleurie | lait de vache | Canada
Le Brie Double Crème de Portneuf a une croûte blanche, fine et naturelle, une pâte fondante et onctueuse ainsi qu'un parfum frais de noix.

Brillat-Savarin
pâte molle à croûte fleurie | lait de vache | France
Les célèbres vaches laitières de Normandie produisent un lait riche et savoureux pour créer ce fromage triple crème moelleux et lisse avec une croûte blanche épaisse et molle. Plus il mûrit, plus il prend un goût riche et piquant.

Brin d'Amour
pâte semi-ferme | lait de brebis | France
Ce fromage corse parsemé de fines herbes est un phénomène unique, tirant sa saveur du romarin, de la sarriette et du thym. Il est servi jeune et onctueux ou légèrement mûri et ferme.

Brise du Matin
pâte molle à croûte fleurie | lait de vache | Canada
La Brise du Matin est faite de lait de vache à croûte tendre et douce, recouvrant une pâte crémeuse au goût de beurre, de champignons frais et de noisettes, de plus en plus prononcé avec l'âge.

Burrata
frais | lait de vache et de buffle d'Inde | Italie
Doux avec un goût du terroir et un soupçon d'aigreur, le fromage Burrata est une boule de mozzarella fraîche farcie avec un onctueux mélange de crème et de caillé non affiné de mozzarella. Ce fromage a été créé en Puglia dans les années 20. De nos jours, on trouve des versions moins élaborées.

Cabrales
bleu | lait de vache, de chèvre et de brebis | Espagne
Affiné dans des cavernes de calcaire près de la mer à Asturias, ce fromage compact et crémeux très apprécié, aux veines bleu vert irrégulières, est fait de lait de vache ou d'un mélange de lait de vache avec du lait de chèvre ou de brebis, selon la saison.

Caciocavallo
pâte ferme filée | lait de vache | Canada
Présenté sous forme de gourde ou de poire, ce fromage à pâte filée est moulé à la main.

Le Calendos
pâte molle à croûte fleurie | lait de vache | Canada
Le Calendos est un fromage à pâte molle, affiné en surface et recouvert d'une belle croûte blanche qui, prend en vieillissant un goût plus corsé et un arôme plus marqué. Pâte souple et homogène de couleur jaune crème.

Camembert
pâte molle à croûte fleurie | lait de vache | France
Cousin du brie avec une croûte blanche et poudreuse semblable, le camembert nous vient de Normandie et possède une pâte riche et crémeuse et un goût de champignons sauvages. Un peu de roux sur la croûte blanche est un bon signe ; une croûte blanche et veloutée signifie qu'il n'est pas tout à fait mûr. Une forte odeur d'ammoniaque veut dire qu'il est trop mûr.

Camembert de Portneuf
pâte molle à croûte fleurie | lait de vache | Canada
Le Camembert de Portneuf est un fromage à croûte fine, crémeux et souple, à saveur fondante, typée et parfumée.

Camembert des Camarades
pâte molle à croûte fleurie | lait de vache | Canada
Le Camembert des Camarades a une pâte molle, au goût de beurre, de noix et de maïs.

Cantal
semi-ferme | lait de vache | France
Fromage très apprécié de l'Auvergne, le Cantal est moelleux et élastique avec un arôme laiteux et un agréable goût piquant lorsqu'il est jeune. En vieillissant, il se rapproche d'un cheddar fin, avec une finale acide au goût de noix.

Cantonnier
semi-ferme | lait de vache | Canada
Le fromage Cantonnier a une croûte de couleur rosée cuivrée, lisse, plus ou moins collante selon la maturité ; pâte de couleur crème, homogène ; texture fondante en bouche. Il a un parfum bouqueté et un goût de crème, légèrement acidulé et rafraîchissant.

Caprano
pâte pressée | lait de chèvre | Canada
Le Caprano est un fromage de chèvre affiné pendant six mois. Sa pâte pressée est dotée de petits trous. Il est doux, délicat, possède une croûte naturelle et un goût de beurre caprin sans amertume.

Capriny
pâte fraîche | lait de chèvre | Canada
Le Capriny est un fromage de chèvre nature, à pâte molle et crémeuse, légèrement acidulée. Autres saveurs disponibles : fines herbes et poivre.

Caronzola
bleu | lait de vache | Canada
Notre Caronzola est un fromage à pâte ivoire et légèrement persillée, enrobée d'un duvet blanc et les amateurs de fromage apprécieront sa texture crémeuse et sa douceur.

Cashel Blue
bleu | lait de vache | Irlande
Ce bleu artisanal ferme et friable a un goût frais et légèrement piquant. Le Cashel s'adoucit et devient plus crémeux en vieillissant, et s'affaisse sur lui-même lorsqu'il est à point.

Le Cendré
semi-ferme | lait de vache | Canada
Le Cendré est un fromage semi-ferme à pâte pressée possède une pâte souple, couleur d'un grain de blé, striée par une raie de cendres végétales. Son goût doux et fruité s'accompagne d'un arôme de noisettes et de foin.

Cendré de Lune
pâte molle à croûte fleurie | lait de vache | Canada
Inspiré du Triple Crème Saputo, gagnant de nombreux prix, le Cendré de Lune est un fromage unique à pâte molle enrobée de cendre végétale. Il vient tout juste d'être couronné champion dans sa catégorie au concours *Sélection Caséus 2010*.

Le Cendrillon
pâte molle à croûte cendrée | lait de chèvre | Canada
Le Cendrillon est un fromage à croûte texturée marbrée, à pâte ivoire et lisse. Roulé dans la cendre végétale, il a été couronné Meilleur fromage au monde au *World Cheese Awards* 2009.

Chaource
pâte molle à croûte fleurie | lait de vache | France
Ce fromage blanc à croûte fleurie vient de la région de Champagne et possède une texture granuleuse. Piquant lorsque jeune, il s'atténue avec le temps, conservant un peu de piquant mais développant des notes de champignons terreux.

Chaumes
croûte lavée | lait de vache et de chèvre | France
Ce fromage riche et crémeux du Périgord a une croûte orange foncé typique des fromages à croûte lavée. Toutefois, il est plus doux que certains de ses cousins, ce qui en fait un bon point de départ pour découvrir cette catégorie de fromages.

Cheddar
semi-ferme | lait de vache | Angleterre
Un cheddar fait main et vieilli à point est l'un des meilleurs fromages du monde : une texture ferme mais malléable, un arôme frais et une saveur douce au goût de noix qui garde du piquant, avec une finale qui perdure. Les cheddars des îles Britanniques (exportés par la laiterie Neal's Yard) et les cheddars artisanaux du Vermont ou de la Californie sont généralement de premier ordre.

Cheshire
semi-ferme | lait de vache | Angleterre
Un des plus anciens fromages d'Angleterre, le Cheshire a un goût doux et salé et une texture moelleuse, friable et dense. Comme pour le cheddar, les marques artisanales sont de loin supérieures aux produits industriels.

Chèvre
frais | lait de chèvre | France
Lisse, léger et acidulé, avec un goût du terroir, le chèvre frais est emblématique de la France, surtout dans la vallée de la Loire et la région du Poitou. Le jeune chèvre au goût de citron est délicieux tartiné sur une baguette ou émietté dans une salade. Les chèvres plus affinés comme le chèvre d'or sont assez fermes pour être tranchés.

Chèvre d'Art
pâte molle à croûte fleurie | lait de chèvre | Canada
Le Chèvre d'Art est un fromage de chèvre affiné à pâte blanche, riche, légèrement acide et peu salée.

Chèvre des Neiges
pâte molle à croûte fleurie | lait mélangé de chèvre | Canada
Le Chèvre des Neiges est fait de lait de chèvre et de vache à pâte fraîche, souple sous le doigt et doux.

Chèvre des Neiges Brie Triple Crème
pâte molle à croûte fleurie | lait mélangé de chèvre | Canada
Ce fromage à pâte molle affinée en surface, est fait de lait de chèvre et de lait de vache ayant une pâte blanche, riche et crémeuse.

Chèvrefeuille
croûte naturelle | lait de chèvre | France
Comme bien des produits provenant du Périgord, ce fromage à la pâte blanche parfaite et au goût légèrement piquant a du caractère. Il se décline en diverses formes et se vend nature ou parsemé de fines herbes et de grains de poivre.

Cogruet
Pâte pressée | lait de vache | Canada
Le Cogruet est un fromage suisse québécois qui a su nous épater en s'illustrant au Québec et ailleurs pour sa qualité et son goût doux et fruité.

Colby
semi-ferme (au caillé rincé) | lait de vache | États-Unis
Le goût sucré, crémeux et doux de ce fromage du Wisconsin rappelle le cheddar jeune.

Comté
dur | lait de vache | France
Fabriqué dans la région alpine de l'est de la France, le Gruyère de Comté ou Comté possède un goût fruité à saveur de noix et une longue finale épicée.

Crescenza
frais | lait de vache | Italie
Ce fromage blanc sans croûte au goût crémeux et doux, originaire du nord de l'Italie – le meilleur vient des environs de Milan –, possède une consistance coulante presque liquide à température de la pièce.

Crotonese
dur | lait de brebis | Italie
De Sardaigne, sec et piquant. Consommé à table lorsqu'il est jeune, râpé lorsqu'il est vieilli.

Crottin de Chavignol
croûte naturelle | lait de chèvre | France
Ce crottin souvent imité est l'un des chèvres classiques de la vallée de la Loire. Façonné en petits disques, le Crottin de Chavignol a un goût riche à saveur de noix et se mange à divers stades de maturation. Jeune, il est blanc, mou, solide et légèrement piquant avec une croûte mince. Le fromage vieilli a une pâte jaune, friable et piquante avec une croûte épaisse et foncée.

Curado
dur | lait de vache, brebis et chèvre | Espagne
Affiné plus de trois mois dans la région de la Mancha, le Curado est un fromage ivoire à croûte brunâtre. Sec et ferme, quoi que riche en bouche.

Cusiè in Foglie di Castagne
semi-ferme | lait de vache | Italie
Fait de lait de vache et de chèvre qui paissent tout l'été dans le Piémont, le Cusiè est vieilli de dix-huit à vingt-quatre mois, puis enveloppé dans des feuilles de marronnier (Foglie di Castagne) pour ajouter une saveur de noix caractéristique.

Derby
semi-ferme | lait de vache | Angleterre
Le Derby ordinaire est crémeux et doré avec un goût de cheddar doux. Mais lorsqu'il est injecté d'une fine herbe – le plus souvent la sauge – il devient marbré de veines émeraude.

Doré-Mi
pâte pressée | lait de vache | Canada
Le Doré-Mi est un fromage non affiné à pâte semi-ferme. Excellent à griller car il ne se répand pas lorsqu'il cuit.

Le Double Crème Du Village
pâte molle à croûte fleurie | lait de vache | Canada
Le Double Crème est un fromage à pâte molle avec
un soupçon de crème, ferme et léger lorsqu'il est jeune,
il devient tendre et savoureux lors de sa maturation. On
y distingue une discrète note de fruits, de champignons
et de noisette provenant de la pâte. Sa texture est
onctueuse et veloutée.

Édam
semi-ferme (au caillé rincé) | lait de vache | Hollande
Doux et lisse avec peu d'arôme, ce fromage hollandais
très populaire a une pâte de couleur paille et une
enveloppe de cire jaune, rouge ou noire (la cire noire
indique un vieillissement plus long).

Emmental
semi-ferme | lait de vache | Suisse
L'Emmental doré possède la texture «trouée» classique
des fromages suisses. Son vieillissement plus long (au
moins quatre mois), coutumier pour les fromages alpins,
produit un arôme floral et un goût fruité avec une pointe
d'acidité.

Époisses de Bourgogne
croûte lavée | lait de vache | France
Un des meilleurs fromages à croûte lavée, l'Époisses est
né dans les vignobles de Bourgogne. Sa croûte orange
caractéristique est créée en lavant le fromage au marc,
ce qui produit une forte odeur de grange. La pâte lisse
et charnue a un goût plus doux que l'arôme pourrait
laisser croire.

Etorki
dur | lait de brebis | France
Élaboré au coeur du Pays Basque, l'Etorki symbolise
toute la richesse et le caractère de son terroir d'origine.
Sous sa croûte dorée, il révèle une pâte ferme
en attaque, mais fondante. Son goût crémeux et
délicieusement biscuité accompagne superbement son
caractère brebis et sa force typée est longue en bouche.

L'Évanjules
pâte molle à croûte mixte | lait de vache | Canada
L'Évanjules se distingue par sa croûte très fine et
crapautée blanc cassé, tirant vers un beige prononcé,
un peu ridée en s'affinant. Sa texture ferme s'amenuise
pour être coulante et onctueuse à son meilleur.

Explorateur
pâte molle à croûte fleurie | lait de vache | France
Cet appétissant triple crème d'Île-de-France possède
un goût onctueux aromatisé aux champignons et une
texture ferme.

Féta
frais | lait de vache, de chèvre et de brebis | Grèce
Ce fromage saumuré est fabriqué dans plusieurs pays
de la Méditerranée et le long de la mer Noire, sous ce
nom ou d'autres. Un règlement de l'Union européenne
limite l'utilisation du terme féta au fromage grec,
obligeant les autres membres de changer leur étiquette.
Salée et savoureuse, avec une texture ferme et friable, la
féta grecque est faite de lait de brebis (au moins 70 %)
et de lait de chèvre. La Bulgarie (lait de brebis et/ou de
chèvre), le Danemark (lait de vache) et la France (lait de
brebis généralement) sont également des producteurs
importants. Au Canada, la Féta Saputo est produite
à partir de lait de vache, de chèvre ou de brebis.

Fleur du Maquis
semi-ferme | lait de brebis | France
Le maquis ici réfère au paysage rugueux de l'île
de Corse. C'est un fromage onctueux à texture fine,
recouvert d'une moisissure bleue-grise et d'un enrobage
de fines herbes (romarin, sarriette et genièvre).

Fontina
semi-ferme | lait de vache | Italie
Dense, lisse et élastique avec un soupçon de noix et
de champignons et une acidité rafraîchissante, la Fontina
est un excellent fromage fondant. L'étiquette est parfois
utilisée sur des fromages de qualité moindre alors
recherchez la Fontina Val d'Aosta, dans le Piémont,
où il est fabriqué depuis huit siècles.

Fourme d'Ambert
bleu | lait de vache | France
Dense comme le Stilton, ce classique d'Auvergne a une
saveur souple pas trop riche et une finale au goût de noix.

Le Fourmier
bleu | lait de brebis | Canada
Le Fourmier est fait de lait de brebis à pâte semi-ferme
affinée en surface, persillé de bleu, riche, ayant une pâte
douce et beurrée lorsque le fromage est jeune, avec des
notes herbacées délicates évoquant les pâturages.

Fromage à la crème
frais | lait de vache | mondial
Que ferait-on sans fromage à la crème pour déguster
les bagels au saumon fumé? Lisse, crémeux et doux,
ce fromage polyvalent fait de crème légère ou épaisse
est un ingrédient important dans les desserts.

Fromage fermier
frais | lait de vache | mondial
Pour fabriquer ce fromage, on ajoute de la présure et
des cultures bactériennes au lait, on retire le petit-lait
et on presse le caillé pour retirer l'humidité. Il prend

diverses formes à travers le monde dont le *queso fresco* du Mexique. Il est plus granuleux, moins riche et plus piquant que le fromage à la crème.

Fromage frais
frais | lait de vache, de chèvre et de brebis | France
Ce fromage frais tout simple du nord de la France et de Belgique a une texture mousseuse et un goût d'agrumes doux. Il est souvent servi comme un yogourt nature, avec du miel ou des fruits frais, pour le petit-déjeuner ou le dessert.

Gariotin
semi-ferme | lait de chèvre | France
Ces petits disques de fromage pâle et lisse avec une croûte fleurie qui se ratatine avec le temps ont un agréable goût piquant et un arôme qui laisse transparaître la provenance du lait.

Garrotxa
semi-ferme | lait de chèvre | Espagne
Du nom d'une région en Catalogne, ce fromage pressé possède une croûte brun-gris, une pâte blanche moelleuse et un goût laiteux.

Gjetost
semi-ferme | lait de chèvre et de vache | Scandinavie
Cette pâte marron sans prétention au goût robuste mais légèrement sucré est vendue en petits cubes. Dans les pays scandinaves, il porte un nom différent selon la provenance (*brunost, mesost, mysuostur* et *myseost* respectivement de Norvège, de Suède, d'Islande et du Danemark). Il est fabriqué en faisant bouillir le petit-lait avec du lait et de la crème, ce qui lui confère son goût et sa couleur de caramel.

Gloucester
semi-ferme | lait de vache | Angleterre
Ce fromage traditionnel remonte à quatre siècles et prend le nom d'une race de bovins. Le Gloucester simple utilise le lait d'une traite ; le double ajoute de la crème d'une deuxième traite et est vieilli plus longtemps. Les deux ressemblent à un cheddar friable. Le Cotswold est un Gloucester double avec ciboulette et oignons.

Gorgonzola
bleu | lait de vache | Italie
Un des grands fromages du monde, le Gorgonzola, a une croûte rousse rugueuse et une pâte blanche à jaune pâle avec des marbrures bleu vert. Plus crémeux et plus doux que le Stilton, sa saveur est piquante, épicée et tout aussi complexe. Le Gorgonzola *dolce* est plus jeune, doux et crémeux ; le *naturale* ou *piccante* est plus ferme et plus âcre.

Gorwydd Caerphilly
semi-ferme | lait de vache | Pays de Galles
Un aliment essentiel dans le goûter des mineurs du pays de Galles depuis des générations, ce fromage artisanal quasi disparu a été tiré de l'oubli par la famille Trethowan. Vieilli pendant soixante jours à la ferme, il est blanc neige et friable en son centre et lisse de couleur paille près de la croûte naturelle.

Gouda
semi-ferme (au caillé rincé) | lait de vache | Hollande
Jeune, ce populaire fromage possède un goût fruité et sucré. En vieillissant, il devient plus savoureux et plus complexe. Recherchez l'enveloppe de cire noire pour un produit bien vieilli. Parmi les variétés, on trouve le UnieKaas Reserve Gouda, vieilli dix-huit mois, et le Saenkanter Gouda, vieilli trois ans, deux fromages orange salés au goût de caramel.

Grana Padano
dur | lait de vache | Italie
Semblable au Parmigiano-Reggiano, ce fromage excellent pour le râpage vient de la même région. Fabriqué à base de lait partiellement écrémé et habituellement vieilli d'un à deux ans, il est pâle avec un goût frais et fruité.

Gruyère
semi-ferme | lait de vache | Suisse
Plus dense que l'Emmenthal, le Gruyère a une texture crémeuse quoique légèrement granuleuse avec une saveur robuste aux herbes et aux noix. Vieilli un minimum de cinq mois, c'est un excellent fromage pour cuisiner, surtout les gratins et les fondues.

Halloumi
semi-ferme | lait de brebis et de chèvre | Chypre
Ce fromage blanc légèrement salé dont le caillé a été étiré est connu pour sa capacité de conserver sa forme lorsqu'il est frit ou même grillé, ce qui le rend très populaire en cuisine méditerranéenne de l'est. Certains halloumis sont vieillis jusqu'à consistance dure. Le halloumi industriel contient du lait de vache.

Havarti
semi-ferme | lait de vache | Danemark
De couleur ivoire à jaune pâle, le Havarti a une texture crémeuse mais légèrement spongieuse – en raison de ses petits trous – et un goût robuste qui devient plus piquant avec le temps.

Humboldt Fog
pâte molle à croûte fleurie | lait de chèvre | Californie
Une pointe de ce célèbre fromage californien ressemble à un gâteau étagé léger : une mince couche de cendre

grise sépare les couches de chèvre blanc mousseux et une croûte blanche poudreuse fait office de «glaçage».

Idiazábal
semi-ferme, dur | lait de brebis | Espagne
Un des fromages au lait de brebis les plus prisés d'Espagne, l'Idiazábal a une pâte ferme pâle et une croûte dure non comestible. Ce fromage au goût de beurre et de noix est parfois fumé. Un vieillissement plus long produit un fromage dur, idéal pour râper.

Dry Jack
dur | lait de vache | Californie
Un Monterey Jack vieilli jusqu'à deux ans, ce qui donne un fromage sec et dur qui rappelle le Parmesan. Il a été créé par des immigrés italiens en Californie pendant la Seconde Guerre mondiale pour remplacer les fromages à râper italiens. Ce fromage jaune foncé est légèrement croquant avec un goût sucré, fruité et piquant.

Jarlsberg
semi-ferme | lait de vache | Norvège
Ce fromage doré bien connu ressemble à l'Emmenthal suisse en plus doux et plus sucré.

Kingsberg
pâte pressée | lait de vache | Canada
Le Kingsberg est un fromage sans croûte, à pâte de couleur ivoire à jaune pâle, luisante, de texture ferme et souple, parsemée d'ouvertures (yeux) bien rondes. Au goût délicat de noisette à peine sucrée.

Lady Laurier d'Arthabaska
pâte molle à croûte fleurie | lait de vache | Canada
Le Lady Laurier d'Arthabaska est un fromage à croûte fleurie. Une pâte riche, onctueuse et fondante qui libère des notes subtiles et gourmandes de fleurs et de brioches.

Lancashire
semi-ferme | lait de vache | Angleterre
Lorsqu'il est fait selon la tradition, en mélangeant le caillé de différents jours de traite, il en résulte une texture pointillée et une saveur particulièrement complexe. Il est vendu jeune et moelleux avec un léger goût piquant de ciboulette, ou vieilli avec un goût d'oignon plus intense. Les produits artisanaux tels que Mrs Kirkham's Lancashire ont une texture friable et un goût robuste. Le Lancashire industriel est plus crémeux et moins goûteux.

Langres
croûte lavée | lait de vache | France
Un petit fromage fripé de la région de Champagne, le Langres est riche et dense et est généralement vieilli pendant cinq semaines.

La Tur
frais | lait de vache, de chèvre et de brebis | Italie
Fait d'un mélange de trois laits, ce fromage riche au goût de beurre du Piémont a une «peau» fine, une saveur bien équilibrée et une texture exceptionnellement crémeuse qui rappelle celle d'une crème fraîche épaissie.

Limburger
croûte lavée | lait de vache | Allemagne
Ce fromage semi-ferme dégage une forte odeur qui se communique au goût. Si vous en avez le cœur, vous constaterez qu'il est souple, ferme, charnu et épicé. Un fromage trop mûr est intolérable à la plupart des gens.

Lincolnshire Poacher
dur | lait de vache | Angleterre
Inventé par les maîtres fromagers Simon et Tim Jones en 1992, ce fromage légèrement sucré et fruité à saveur de noix est une variante récente de la tradition anglaise des fromages pressés au lait de vache cru. Les rouleaux ont une croûte gris ardoise et une pâte pâle.

Livarot
croûte lavée | lait de vache | France
Originaire de Normandie, ce fromage piquant au goût du terroir est traditionnellement dégusté avec un breuvage du pays, cidre ou Calvados. La pâte est or pâle et la croûte brun-orange est colorée par le rocou.

Mahón
semi-ferme | lait de vache | Espagne
Légèrement salé et agréablement acide, ce fromage de couleur ivoire à jaune avec une croûte jaune à orange est fait sur l'île de Minorque dans les Baléares. Il est consommé jeune et laiteux ou vieilli et piquant.

Maître Jules
croûte lavée | lait de vache | Canada
Le Maître Jules a une croûte lavée de couleur orangée à la texture souple et légèrement humide et une pâte à texture riche, onctueuse et fondante. Son odeur rappelle les herbes sèches et il possède un goût riche, intense et fruité avec un arrière-goût de miel de fleurs.

Manchego
semi-ferme, dur | lait de brebis | Espagne
Le lait de brebis épais et crémeux de La Mancha est utilisé pour fabriquer ce fromage ivoire à la croûte brunâtre. Le jeune Manchego est doux et crémeux; s'il est affiné plus de trois mois, il porte la mention *viejo* et est sec et ferme quoique riche en bouche, avec une finale de noix, de caramel et de poivre.

Mascarpone
frais | lait de vache | Italie

Léger avec un agréable goût acide sous la dent, une texture épaisse et veloutée et une richesse qui en fait un ingrédient courant dans les desserts, ce triple crème est originaire de Lombardie où il est largement utilisé. Certains prétendent que ce n'est pas un fromage, mais une crème coagulée à l'acide.

Maytag Blue
bleu | lait de vache | États-Unis

Inventé dans l'Iowa en 1941, ce bleu est lisse, mou et piquant avec une pâte blanche marbrée de veines bleu-gris.

Mimolette
dur | lait de vache | France

Ce fromage rond orangé coloré au rocou, avec une croûte grise rugueuse, ressemble à un melon lorsqu'il est tranché. Le produit jeune possède une saveur fruitée de Parmesan ; des notes de noisettes se développent lorsqu'il est bien vieilli.

Mont d'Or
semi-ferme | lait de vache | France

Connu pour son captivant arôme boisé et floral, ce petit fromage savoureux a une pâte molle onctueuse et une croûte épaisse rose orangé saupoudrée de blanc.

Montasio
semi-ferme | lait de vache | Italie

Ce fromage légèrement criblé de trous et fabriqué en Frioul-Vénétie julienne est vendu à divers stades de maturation, dont le *fresco* (légèrement vieilli), le *mezzano* (semi-vieilli) et le *stagionato* (vieilli). En vieillissant, sa couleur passe de l'ivoire au doré, puis à la couleur paille, son goût s'intensifie et sa texture passe de spongieuse à friable.

Montbriac
pâte molle à croûte fleurie | lait de vache | France

Recouvert de cendre grise et parsemé de taches de moisissures blanches, ce riche fromage d'Auvergne est semblable au brie, mais plus crémeux et plus petit, avec quelques veinures bleues. Il est meilleur bien mûr et coulant.

Monte Enebro
demi-mou | lait de chèvre | Espagne

Un chèvre de La Mancha, le Monte Enebro est un large rouleau aplati avec des moisissures blanches et grises qui recouvrent sa croûte. Dense et crémeux avec une touche de genièvre (enebro), il a un goût robuste qui devient salé et piquant en vieillissant.

Monterey Jack
semi-ferme | lait de vache | Californie

Créé dans les années 1840, ce fromage polyvalent doux et moelleux fond bien.

Mont Gleason
pâte pressée | lait de vache | Canada

Le Mont Gleason a une pâte ferme, pressée et non cuite qui se distingue par la finesse de ses yeux, une douce saveur fruitée et un léger goût de noisette.

Morbier
semi-mou | lait de vache | France

Ce fromage jaune pâle dense est marqué à l'horizontale par une veine de cendres végétales bleu-noir pour démarquer la provenance du lait de deux traites différentes. Il fond bien et peut servir dans les gratins et les fondues ou pour remplacer la raclette.

Mozzarella fraîche
semi-ferme | lait de vache | Italie

Une texture ferme et élastique, un goût léger et une belle qualité fondante la rendent idéale pour la pizza.

Mozzarina
pâte molle filée | lait de vache | Canada

La Mozzarina Mediterraneo Saputo est un fromage frais à pâte molle similaire à la *Mozzarella di Bufala* importée de l'Italie.

Munster
croûte lavée | lait de vache | France

Ce fromage alsacien crémeux de couleur jaune pâle a une odeur âcre, un appétissant goût de levure sucré-salé et une croûte blanc neige. Le fromage *muenster* américain a une pâte blanche au goût banal et une croûte orange.

Murcia al Vino
semi-ferme | lait de chèvre | Espagne

Ce fromage lisse et légèrement floral a une croûte pourpre (en raison du vin utilisé pour le baigner) et une pâte blanc intense.

Neufchâtel
pâte molle à croûte fleurie | lait de vache | France

Un des grands fromages de Normandie, le Neufchâtel a une croûte fleurie comestible, une saveur riche, crémeuse et salée et une texture granuleuse. Il est moulé en diverses formes dont la plus courante est le cœur. (Ne pas confondre avec le fromage américain du même nom, qui est un fromage à la crème faible en gras.)

Paillot de Chèvre
pâte molle à croûte fleurie | lait de chèvre | Canada
Le Paillot de Chèvre est un fromage affiné de fabrication traditionnelle à base de caillé lactique à la fois équilibré, rond en bouche et acidulé.

Paneer
frais | lait de vache et de buffle d'Inde | Inde
Ce fromage ferme et doux de couleur ivoire est souvent servi dans des plats aux légumes (par exemple, le saag paneer aux épinards).

Parmesan Parmigiano-Reggiano
dur | lait de vache | Italie
Friable, avec un goût piquant salé, le Parmigiano-Reggiano (appelé aussi Parmesan) est fabriqué en Émilie-Romagne depuis au moins sept cents ans. Pour vous assurer que vous achetez le produit authentique, recherchez le nom inscrit à la verticale sur la croûte. Même s'il est surtout connu comme fromage à râper, on peut aussi le consommer en morceaux avec un vinaigre balsamique ou du miel.

Pavé d'Affinois
pâte molle à croûte fleurie | lait de vache | France
Fabriqué dans la région de Lyon, ce fromage à pâte molle ressemble au brie et au camembert, avec un goût fruité et une finale à saveur d'herbes.

Pecorino
dur | lait de brebis | Italie
Le mot pecorino indique tout simplement qu'un fromage est fait au lait de brebis. Il existe une gamme de styles régionaux dont le plus connu : le Pecorino Romano granuleux, piquant et robuste de la région romaine. Le Pecorino Sardo, de la Sardaigne (l'appellation contrôlée est le Fiore Sardo), est légèrement plus sec et plus piquant que son cousin romain. Le Pecorino Toscano, de la Toscane, au goût de noix et de caramel, est consommé à la table lorsqu'il est jeune, puis râpé lorsque vieilli.

Petit Ardi Gasna
semi-ferme | lait de brebis | Espagne
La croûte de ce petit rouleau basque est frottée de piment d'Espelette moulu, un piment rouge doux semblable au paprika. Il a une texture riche et lisse et un goût de noix.

Le Petit Brie Du Village
pâte molle à croûte fleurie | lait de vache | Canada
Le Petit Brie allie finesse de goût et texture onctueuse. Sa pâte souple et lisse est recouverte d'une belle croûte blanche fleurie. Très doux lorsqu'il est jeune, son goût devient plus prononcé avec la maturation.

Le Petit Rubis
pâte molle à croûte mixte | lait de vache | Canada
Le Petit Rubis se différencie par sa pastille de caséine rouge au centre. Ce fromage allie finesse de goût et texture onctueuse. Sa pâte souple est douce et onctueuse ; fondante en bouche. Très doux lorsqu'il est jeune avec des notes de pain frais.

Piave
dur | lait de vache | Italie
Ce fromage de couleur paille a un goût robuste et légèrement sucré et est utilisé surtout sous forme râpée, tout comme le Parmesan.

Le Pleine Lune
pâte molle à croûte fleurie | lait de vache | Canada
Le Pleine Lune est un fromage avec une croûte enrobée de cendre végétale puis finement feutrée, qui lui confère un nez de champignon frais et une saveur poivrée en fin de bouche. La pâte s'affine lentement de l'extérieur vers l'intérieur pour devenir parfaitement crémeuse.

Pont-l'Évêque
croûte lavée | lait de vache | France
Ce fromage carré bien connu de Normandie possède une pâte jaune pâle finement texturée. Malgré son odeur de moisissure et de grange, il a un goût doux avec une pointe salée.

Port-Salut
semi-ferme | lait de vache | France
Fabriqué sous forme de disques épais, ce fromage lisse et velouté, avec une pâte jaune pâle et une croûte orange, est apprécié pour son arôme fumé et sa légère acidité.

Provolone
semi-ferme à pâte filée | lait de vache | Italie
Fromage dont le caillé a subi un étirement, le provolone est disponible en deux variétés. Le Dolce, vieilli deux à trois mois, est pâle, souple, doux et lisse et devient filant lorsqu'il est cuit. Le Piccante, habituellement vieilli au moins six mois, est plus foncé au goût plus robuste, avec une touche épicée.

Queso Fresco Voir Fromage fermier

Queso Iberico
dur | lait de vache, de chèvre et de brebis | Espagne
Semblable au Manchego, ce fromage est fait d'un mélange de trois laits qui donne un goût équilibré et délicieusement complexe quoique doux. Il a une texture ferme et peut être servi à table ou râpé.

Raclette
semi-ferme | lait de vache | France
La raclette, avec son goût de noix sucrée, est un excellent fromage fondant et un aliment de base dans les contrées alpines. On place le bloc près du feu pour le faire fondre en surface, puis on coupe des tranches pour manger sur du pain ou des pommes de terre bouillies.

La Raclette Du Village
semi-ferme | lait de vache | Canada
Le Raclette Du Village est un fromage à pâte semi-ferme et à croûte lavée de couleur orangée ; pâte de couleur crème, texture tendre. Il possède un parfum fruité avec un goût de beurre.

Reblochon
croûte lavée | lait de vache | France
Un fromage à pâte molle à croûte lavée des montagnes de la Haute-Savoie, le Reblochon a une croûte rose orangé, un centre coulant et un arôme de levure et un goût du terroir qui évoquent les fleurs alpines.

Red Leicester
semi-ferme | lait de vache | Angleterre
Ce fromage fermier patrimonial est semblable au cheddar mais plus doux et plus friable et l'addition de rocou lui confère une couleur rousse et des notes légèrement épicées. L'affinage peut durer de trois mois à un an ; dans ce dernier cas, il en résulte un fromage dur idéal pour râper.

Ricotta
frais | lait de vache et de brebis | Italie
Traditionnellement fait seulement de petit-lait, et non de caillé comme la plupart des fromages, la ricotta de nos jours contient souvent du lait écrémé ou entier pour un produit plus riche et crémeux. La ricotta industrielle est typiquement granuleuse ; le produit artisanal est moelleux et mou et peut être une révélation.

Ricotta salata
semi-ferme | lait de vache et de brebis | Italie
Lorsque la ricotta fraîche est salée (salata), pressée et séchée, il en résulte ce délicieux fromage blanc neige idéal pour râper.

Roaring Forties Blue
bleu | lait de vache | Australie
La commune de King Island au sud de Melbourne a fait connaître le fromage australien grâce à ce bleu primé. Une couche de cire bleu foncé empêche la formation d'une croûte et retient l'humidité, ce qui donne un fromage sucré, savoureux et crémeux.

Robiola
pâte molle à croûte fleurie | lait de vache, de chèvre et de brebis | Italie
Le Robiola, que l'on trouve en Lombardie et au Piémont, varie énormément selon le lait et le producteur. Habituellement, sa pâte est molle et souple avec un goût du terroir. Les produits plus jeunes sont moelleux et sucrés ; les fromages vieillis sont plus piquants.

Rocamadour
croûte naturelle | lait de chèvre | France
Ce petit fromage au lait cru au goût de noix est blanc crémeux avec une croûte fripée.

La Roche Noire
bleu | lait de vache | Canada
La Roche Noire est un fromage à pâte ferme, fondant en bouche et crémeux au palais.

Romano
dur | lait de vache, de chèvre, de brebis | Italie
Les fromages de la région romaine sont dit Romano. Ceux au lait de brebis s'appellent Pecorino Romano (voir *Pecorino*). Le piquant Caprino Romano est fait de lait de chèvre et le doux Vacchino Romano, de lait de vache. En général, le fromage Romano ressemble au Parmesan en plus salé et plus piquant.

Roquefort
bleu | lait de brebis | France
Un des bleus les plus connus dans le monde, le Roquefort est fait de lait de brebis riche et crémeux et est affiné dans des cavernes de calcaire du Rouergue dans le sud de la France. Il a une texture de beurre et un goût robuste et épicé avec une touche de sucre brûlé.

La Rumeur
pâte molle à croûte fleurie | lait de vache, de chèvre et de brebis | Canada
La Rumeur est un brie double crème, savoureux et parfait, vieilli à point.

Saint-Agur
bleu | lait de vache | France
Créé en 1988, le Saint-Agur est relativement nouveau dans le monde des fromages français. C'est un double crème au lait de vache pasteurisé et à la crème qui s'étend facilement, avec des veines vertes qui lui confèrent un goût légèrement épicé et salé.

Saint-Honoré
pâte molle à croûte fleurie | lait de vache | Canada
Le Saint-Honoré est un fromage de grande classe, triple crème à pâte molle de texture crémeuse dont le goût fin côtoie avec bonheur une riche composition.

Saint-Marcellin
pâte molle à croûte fleurie | lait de vache | France
Ce fromage mou à croûte fleurie prêt à tartiner
est fabriqué dans la région de Rhône-Alpes dans l'est
de la France ; il est vendu dans une terrine en
céramique.

Saint-Médard
pâte molle à croûte mixte | lait de vache | Canada
Le Saint-Médard est un fromage qui possède une
pâte onctueuse et une croûte comestible orangée lui
conférant son goût typé. De doux et savoureux lorsqu'il
est jeune, il devient fruité et corsé en vieillissant.

Saint-Nectaire
croûte lavée | lait de vache | France
Le paysage austère et montagneux de l'Auvergne est
évoqué dans l'arôme de ce fromage mou et crémeux,
avec des notes d'herbes coupées, de foin et de fleurs
sauvages.

Saint-Paulin
pâte semi-ferme | lait de vache | Canada
Le Saint-Paulin est un fromage à pâte semi-ferme de
couleur beige clair ; à la texture tendre et moelleuse.
Il possède une odeur légère, fruitée et lactique,
accompagné d'un goût de beurre frais et de noix.

Le Saint-Raymond
pâte molle à croûte fleurie | lait de vache | Canada
Le Saint-Raymond a une croûte rouge orangé, à peine
humide, une pâte ivoire souple et onctueuse qui fond
sur la langue, un goût de noisette puis une note boisée
et fruitée qui s'attarde plaisamment en bouche.

La Sauvagine
pâte molle à croûte lavée | lait de vache | Canada
La Sauvagine est un fromage de lait de vache à croûte
humide et souple qui s'affine vers l'intérieur, pâte ivoire
coulante, goût de beurre frais puis note de champignons
fondante et longue en bouche culminant sur une pointe
rustique.

Sbrinz
dur | lait de vache | Suisse
Ce fromage montagnard dur au lait entier sous forme
de grandes meules possède une croûte dorée et une
pâte jaune pâle. Il peut être râpé ou taillé en copeaux
à la manière du Parmesan et sa plus haute teneur en
matière grasse le rend moins salé et plus lisse que
la variante italienne au lait écrémé.

Selles-sur-Cher
croûte naturelle | lait de chèvre | France
Un classique de la vallée de la Loire, ce fromage
crémeux au goût de lait a une pâte lisse et blanche
à texture fine. Un saupoudrage de cendres sur l'extérieur
favorise la croissance de moisissures grises comestibles
qui protègent la délicate pâte.

Shropshire Blue
bleu | lait de vache | Angleterre
Le rocou donne une teinte ambrée à ce bleu à la texture
dense. Son goût piquant, épicé et puissant évoque le
Stilton. Malgré son nom, il n'a aucun lien avec la région
éponyme. Il a été créé en Écosse dans les années 70
et est maintenant fabriqué à Nottinghamshire.

Sir Laurier d'Arthabaska
pâte molle à croûte lavée | lait de vache | Canada
Le Sir Laurier d'Arthabaska a une croûte légèrement
ridée et brillante d'un rouge orangé plus ou moins
soutenu selon le degré de maturation. Sa pâte
onctueuse d'un beige clair, très souple lorsque servie
à point dégage un arôme expansif et pénétrant,
mais franc et bouqueté. Sa saveur relevée laisse une
sensation de fondant dans la bouche.

Sottocenere
semi-ferme | lait de vache | Italie
Constellé de lamelles de truffe, frotté à la cendre
(sottocenere signifie «sous la cendre») et enrobé
d'épices, ce fromage lisse et souple offre une saveur
complexe captivante.

Stilton
bleu | lait de vache | Angleterre
Éternel rival du Roquefort, le Stilton est vendu en
rouleaux et possède une pâte crémeuse de couleur
paille, un arôme piquant et une croûte brunâtre
rugueuse et sèche. Des zigzags de moisissures
bleues irradient de son centre.

Taleggio
croûte lavée | lait de vache | Italie
Traditionnellement affiné dans des cavernes, ce fromage
à pâte molle a une croûte rosée, un arôme sucré et un
goût de beurre fruité qui est moins prononcé que son
odeur.

Teleme
semi-ferme | lait de vache | Californie
D'après la légende, ce fromage du nord de la Californie
aux racines grecques est le résultat d'une féta qui a
délicieusement mal tourné. Le fromage a une croûte
rosée caractéristique et une pâte blanche, avec une
texture molle et un agréable goût acidulé de gibier.

La Tentation
Pâte molle à croûte mixte | lait de vache | Canada
Fromage lactique fouetté à la crème fraîche, à pâte molle et à croûte lavée texture crémeuse et de crème fouettée lorsque le fromage est jeune, à saveur de crème fraîche soutenue par une légère acidité lactique

Tête de Moine
semi-ferme | lait de vache | Suisse
Ce fromage a une pâte jaune pâle, une croûte brune sèche et un arôme prononcé. Le nom évoque son histoire monastique vieille de huit siècles. On raconte qu'il ressemble à la tête tonsurée d'un moine. On utilise une girolle pour couper de délicats copeaux de ce fromage et faire ressortir sa saveur.

Tilsiter
semi-ferme | lait de vache | Suisse
Aussi connu du nom de Tilsit, ce fromage suisse classique est perforé de petits trous irréguliers et recouvert d'une croûte jaune foncé. Il est souvent aromatisé aux graines de carvi ou grains de poivre et s'accorde bien avec la bière et le pain de seigle. Créé par des émigrés suisses en Prusse au XIXe siècle, il prend son nom de la ville de Tilsit (aujourd'hui Sovetsk en Russie).

Toma Piedmontese
semi-ferme | lait de vache | Italie
Le terme *toma* englobe un ensemble de fromages italiens à pâte molle et semi-ferme. Cette toma du Piémont a une longue et vénérable histoire. Faite de lait de deux traites consécutives, la pâte possède une riche texture. Selon son âge, la couleur varie de jaune pâle à rouille et la saveur de sucré à salé.

Tomme de Savoie
semi-ferme | lait de vache | France
Fait au lait écrémé, ce fromage lisse a une pâte jaune et une croûte sèche et poudreuse. Sa saveur réunit un éventail de goûts subtils : fumée, herbes, fleurs et noix.

Tomme des Cantons
pâte pressée aromatisée | lait de vache | Canada
Croûte rose cuivré, lisse, plus ou moins collante selon la maturité ; pâte crème, homogène ; texture fondante en bouche. Il a un parfum bouqueté aromatisé à l'ail, au goût légèrement acidulé et rafraîchissant.

Le Triple Crème Du Village
croûte fleurie | lait de vache | Canada
Le Triple Crème est un fromage à pâte molle et à croûte fleurie qui possède une pâte crémeuse et veloutée. Ferme et léger lorsqu'il est jeune, il devient tendre et savoureux lors de sa maturation. On y distingue des saveurs de crème, de beurre et de noisette avec une pointe piquante.

Trou du Cru
croûte lavée | lait de vache | France
Ce fromage à pâte molle, avec sa pâte jaunâtre et sa croûte rose orangé, provient d'une des grandes régions viticoles françaises : la Côte d'Or de Bourgogne. Pendant sa production, le fromage est lavé à répétition dans une saumure, avec un dernier lavage au marc, ce qui lui confère un arôme âcre de grange et un goût prononcé.

Vacherin
semi-ferme | lait de vache | Canada
Le Vacherin à croûte lavée jaune clair ou cuivre, sèche ou lisse, collante avec la maturation ; pâte crème lisse, souple ; légèrement granuleux en bouche ; odeur franche de noix, de paille et de sapin ; saveurs de noix, de pommes fraîches, avec une touche acidulée bien appuyée.

Valdeón
bleu | lait de vache et de chèvre | Espagne
Les spores de moisissure des cavernes de calcaire sont à l'origine de ce fromage rustique aux veines bleu vert, semblable au Stilton mais avec un arôme plus âcre, un goût plus salé et une finale plus nette. Le fromage est enveloppé dans des feuilles de platane ou de marronnier.

Wensleydale
semi-ferme | lait de vache | Angleterre
Ce fromage moelleux et friable du nord de l'Angleterre se décline en cinq variétés. Des notes de miel sont équilibrées par divers degrés de piquant selon la variété. Il contient parfois des canneberges et s'accorde bien aux autres fromages en général.

Zamorano
dur | lait de brebis | Espagne
Ce fromage d'une pâleur fantomatique avec une croûte quasi noire est frotté à l'huile d'olive pendant toute la durée de l'affinage, ce qui noircit la croûte et lui confère un riche goût de noix exceptionnel.

Index

WILLIAMS-SONOMA INC.
Fondateur et vice-président : Chuck Williams
WELDON OWEN INC.
PDG et Président : Terry Newell
Vice-présidente, Ventes et
développement commercial : Amy Kaneko
Directeur des finances : Mark Perrigo

Vice-présidente et éditrice : Hannah Rahill
Éditrice associée : Amy Marr
Réviseure : Donita Boles

Directrice adjointe à la création : Emma Boys
Directrice artistique : Alexandra Zeigler
Conceptrice adjointe : Anna Grace

Directeur de la production : Chris Hemesath
Chef de la production : Michelle Duggan
Gestion des couleurs : Teri Bell

Photographe : Maren Caruso
Assistants-photographes :
Christina Richards, Stacy Ventura, Luke Goodman
Styliste culinaire : Alison Attenborough
Assistante-styliste culinaire : Lillian Kang
Styliste pour les accessoires : Leigh Noe
Assistant-styliste pour les accessoires : David Evans

SAVOUREUX FROMAGES
Conçu et produit par Weldon Owen Inc.
En collaboration avec Williams-Sonoma Inc.
3250 Van Ness Avenue, San Francisco, CA 94109
UNE PRODUCTION DE WELDON OWEN
Copyright © 2010 Weldon Owen Inc. et Williams-Sonoma Inc.
Copyright © 2011 Parfum d'encre
Traduction : Carl Angers
Montage : Olivier Lasser et Amélie Barrette

Tous droits réservés, y compris le droit de reproduction
en tout ou en partie sous toute forme.

Catalogage avant publication de Bibliothèque
et Archives nationales du Québec et Bibliothèque
et Archives Canada

Brennan, Georgeanne, 1943-

   Savoureux fromages: cuisinez les fromages d'ici et d'ailleurs

   Traduction de: Cheese
   Comprend un index

   ISBN 978-2-923708-44-7

   1. Cuisine (Fromage). 2. Fromage.

   3. Fromage - Dégustation. I. Titre.

TX759.5.C48B7314 2011   641.6'73   C2011-941086-9

REMERCIEMENTS

Weldon Owen voudrait remercier les personnes suivantes pour leur généreux soutien lors de la production de ce livre :
Kimberly Chun, Kenn DellaPenta, Julie Nelson, Carrie Neves, Sarah Putman Clegg, Sharon Silva et Sharron Wood.

CRÉDITS PHOTOGRAPHIQUES

Toutes les photographies sont de Maren Caruso sauf :
Page couverture et 4e de couverture (en haut à droite) d'Alain Sirois,
page 7 de Martin Vigneault, Page 13 (en bas à droite) et 88 (en haut à gauche) d'Anna Williams,
page 54 (en haut à gauche) de Tucker + Hossler